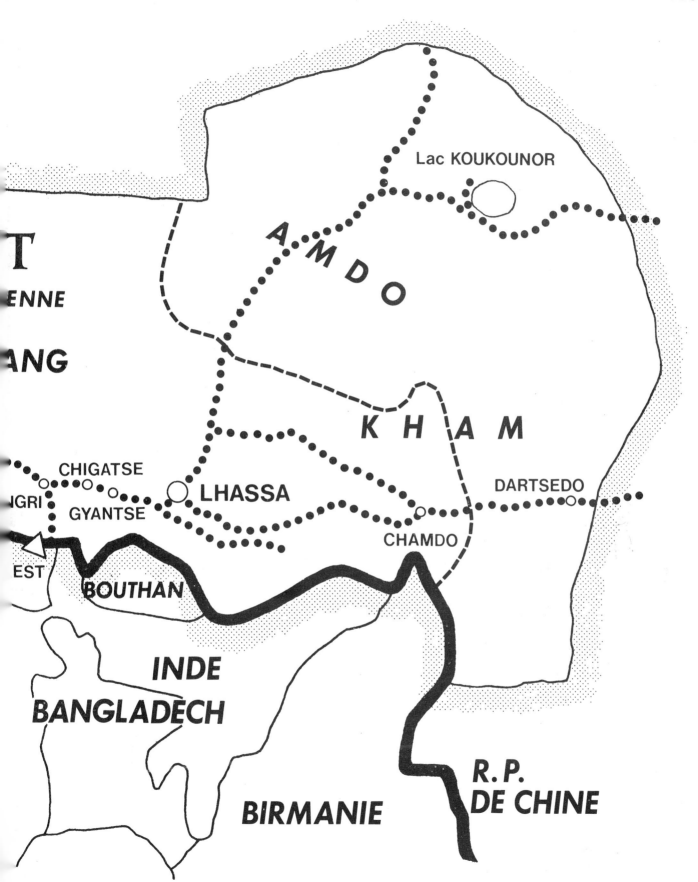

ISBN : 2 7384 0093.0

Achevé d'imprimer
le 5 mars 1988
sur les Presses de GEDIT
à Tournai (Belgique)

TIBET
le rire jaune

Pour Yvonne

toutes les couleurs du

Tibet

17.2.90

Dans ce pays immense
il ne peut y avoir
que des hommes libres.

Gilbert LEROY

TIBET

le rire jaune

Photographies
de l'auteur

L'Harmattan
collection
partir là-bas

Gilbert LEROY
Lauréat Zellidja
Membre de la Société des Explorateurs et Voyageurs français.

1965 - Je réalise ma première aventure : 39 000 km en 9 mois, à travers 17 pays, seul à bord de la *Tortue Normande,* une vieille fourgonnette 2 CV aménagée.

1968 - Je pars seul, un an, en Inde en 3 CV fourgonnette *La Studiomobile* et réalise un reportage photo : *A travers l'Inde.*

1971 - Avec la *Studiomobile,* je participe au raid Citroën Paris-Persépolis-Paris. Sur 460 équipages, je remporte le deuxième prix au Classement général et le Prix d'honneur pour l'aménagement intérieur.

1974 à 1977 - Après plus d'un an de séjour au Népal, je réalise mon premier film 16 mm long métrage : *Népal, sur la Piste Sherpa.*

1978 à 1980 - Quatre expéditions au Zanskar, dont une hivernale avec ma femme, me permettent de terminer mon second film *Zanskar mystérieux aux confins du Tibet* qui obtient le jour de sa sortie, le Grand Prix au Festival du film de voyages de Royan.

1981 - Avec notre fils Xavier alors âgé de six mois, nous séjournons 5 mois en Inde, à Bénarès, pour tourner un nouveau film : *Bénarès L'Immortelle.*

1982 - Autre forme d'aventure, nous éditons une bande dessinée : *Lamou ou le Zanskar oublié.*

1984 - Stéphanie fête ses deux ans au Ladakh où nous séjournons pour tourner plusieurs courts métrages sur les réfugiés tibétains.

1984 - Sortie de notre livre *Himalaya, Vivre au Zanskar.*

1985 - A cause de l'inconnu et des nombreuses difficultés géographiques et climatiques, je repars à l'aventure seul, pour une expédition de 5 mois au TIBET, bientôt suivie d'un séjour en été 1986 et d'une nouvelle hivernale 1987.

Sur cette immense terre tibétaine, hier encore interdite et tellement fascinante, je rapporte un film long métrage : *Le Tibet* et ce livre que je vous laisse découvrir.

du même auteur
Lamou ou le Zanskar oublié - Bande dessinée éditée à compte d'auteur.
Himalaya, vivre au Zanskar - Editions Presses de la Cité.

à Janine
à nos enfants
Xavier Tsiring
Stéphanie Dolma
Vincent Djamyang

Remerciements

Merci au peuple de Chine de m'avoir permis de vivre cette nouvelle aventure.
Merci au peuple Tibétain pour son accueil et sa participation.
Merci à ma femme pour son assistance de tous les jours ;
à Tsiring, Tupten et Dorjee, ma fidèle équipe ;
à Isabelle et Pierre André Gandon, Olivier Föllmi, Olivier Lombard.
Merci à ma famille, pour son aide matérielle et morale.

UN TITRE AMBIGU

Le rire jaune c'est le masque. Rire pour masquer ses sentiments, se donner le temps de la réflexion, toujours sauver la face.

Celui du Bouddha est différent. C'est un sourire énigmatique sans doute, distant certainement, compatissant sûrement.

Regardez-le bien sur la couverture du livre ; ils l'ont frappé au menton, amputé à hauteur du tronc.

Rescapé de la révolution culturelle, juché sur ses fûts, il prend la terre à témoin de l'infantilisme de l'homme, de la relativité de la vie.

Seul l'esprit peut dominer le monde. Son regard, son sourire, sa posture le démontrent.

… Et puis j'aime cette expression, ambiguë comme une mentalité orientale.

LE GRAND BOULEVERSEMENT

Le Tibet vit le plus grand bouleversement de son histoire pourtant bien mouvementée. Et comme me l'a dit à Lhassa le vieux Tashi : « Ils ont voulu anéantir l'identité d'un peuple vaincu ».

« Ils », ce sont les HANS, ceux de la plaine, les Chinois de Pékin.

Je connais bien les Tibétains « de l'extérieur ». J'ai réalisé des films sur les réfugiés tibétains du Ladakh, sur les villages d'enfants tibétains réfugiés en Inde, sur les moines bouddhistes tibétains du Népal.

J'ai rencontré leur représentant le plus illustre, le Dalaï-Lama, réfugié à Daramsala, dans le Nord de l'Inde. J'ai vu l'effort de leur survie, leur lutte pour reconstruire leur civilisation, pour transmettre leur culture et leur religion.

Aussi, dès que le Tibet a entrouvert ses portes, je m'y suis faufilé. Je voulais « explorer » ce pays si longtemps interdit, voir ce qu'il en était de ce grand bouleversement.

Du Tibet, j'en reste fasciné.

Chapitre premier

DIRECTION TIBET

Le Tibet

Un rêve. Plein de superlatifs. Mais encore terriblement inaccessible. En effet, on ne peut parler du Tibet comme d'un pays ordinaire parce que là-bas, aux difficultés naturelles déjà grandes s'ajoutent d'inextricables problèmes politiques.

Nous sommes en novembre 1985. La Chine vient juste d'autoriser les étrangers à visiter le Tibet, en individuels. Or depuis sa longue histoire, c'est la première fois que le Tibet s'ouvre aux étrangers ! Les renseignements d'ordre pratique sont encore rares. Nous sommes dans le domaine de l'inconnu. Un voyage au Tibet est presque une expédition.

Une équipe solide

Cette nouvelle aventure commence au Népal, dans un petit monastère Gelukpa, près du grand stupa de Bodnath.

En ce jour d'automne 1985, je rentre d'un trekking, une de ces longues randonnées en montagne, dans la région que j'affectionne particulièrement, la vallée Sherpa, nichée sur les pentes du plus haut sommet du monde, l'Everest.

Tupten et Tsiring m'accompagnent.

C'est dans la cellule de Dorjee que nous nous retrouvons tous les quatre, pour une ultime réunion avant le grand départ vers Lhassa. Eux doivent s'y rendre par la piste, ouverte depuis peu. Moi par avion en passant par Hong-Kong.

Étant donné la difficulté du terrain qui m'attend, il me faut une petite équipe solide, sûre, efficace.

Tupten

Tupten est né à Kumjung, le plus important des villages sherpas. Bien que leur vallée d'altitude soit située au Népal, les Sherpas sont tous originaires du TIBET. Ils en ont gardé la langue, les coutumes et surtout la religion, le bouddhisme.

Je connais Tupten depuis qu'il a 5 ans. Aujourd'hui, il a 20 ans... ou 19 ans. Comme vous voudrez. Cela dépend du calendrier utilisé, grégorien ou tibétain. Oh ! vous savez, ces histoires de piquets et d'intervalles. Nous comptons les intervalles, ils comptent les piquets. Dans l'absolu ils ont raison puisque les Tibétains considèrent que le jour de sa naissance, l'enfant a déjà 9 mois !

Mais revenons à Tupten (Photo 5). Désigné par le Lama du village, poussé par ses parents, à 8 ans, le petit Tupten descend de ses montagnes pour entrer au monastère Gelukpa de Bodnath. Le crâne rasé, habillé de pourpre, l'enfant sherpa devient apprenti moine dans la vallée humide et chaude de Kathmandu. Ce petit-là n'a pas le feu sacré et la religion a du mal à rentrer, malgré les claques et les brimades. Alors, après de nombreuses escapades, Tupten quitte définitivement le petit monastère au pied du grand Stupa. Il a 16 ans et entame une vie de trekking et d'expédition.

Lors du tournage de mon premier film sur « La Vallée Sherpa », Tupten était mon acteur privilégié. Il avait alors 7 ans. Puis je l'ai suivi et filmé tout au long de sa difficile vie monastique et depuis il suit chacun de mes déplacements himalayens.

Aussi, dès que j'ai parlé de mes projets au Tibet, les yeux de Tupten se sont mis à briller.

Tsiring

Tsiring est le frère aîné de Tupten dont la famille compte sept enfants vivants. A 12 ans, Tsiring a quitté l'école de Kumjung pour accompagner les groupes de randonneurs. A 14 ans, il était aide - cuisinier dans un groupe que j'accompagnai dans sa vallée sherpa. Depuis, il a été de tous mes déplacements en Himalaya, participant aussi au tournage de mes différents films au Népal, au Zanskar, au Ladakh, à Bénarès.

Aujourd'hui, Tsiring a 28 ans et participe naturellement à l'élaboration de cette nouvelle aventure (Photo 4).

Dorjee

Dorjee est né au Tibet, juste derrière la chaîne de l'Himalaya, à trois jours de marche de la frontière du Népal. Il a le même âge que Tupten : 19 ans. Vous m'avez compris, au Tibet, 20 ans... (Photo 3).

Dorjee a un véritable acte de naissance : un grand papier végétal, roulé, sur lequel son grand-père, médecin herboriste, a tout écrit. Ainsi, nous savons que Dorjee est né le 29e jour du 9e mois de l'année du Singe, dans le cycle de la Terre. Entendez en novembre 1968. Sa couleur favorable est le jaune et ses jours propices sont le jeudi et le vendredi. Le jour de sa naissance, sa mère avait 25 ans et son père 27.

Sur ce papier il est encore écrit qu'en apparaissant au monde la première réaction du bébé fut d'ouvrir les yeux et de lever la tête. Le grand-père a donc écrit que l'enfant était intelligent et que sur ses vieux jours ce bébé aurait atteint une situation confortable. Il est encore décrit l'emplacement de la maison dans le petit village tibétain, dominé par le monastère et le fort. Malgré tous ces bons présages, la jeunesse de Dorjee fut difficile. Son père a très vite quitté la maison, sa mère s'est remariée , mais le nouveau mari battait l'enfant à toute occasion. Alors, Dorjee fut confié à son grand-père. Dès que Dorjee eut 6 ans, les grands-parents quittèrent le village tibétain pour, en quelques jours de marche, arriver au Népal dans la verdoyante vallée de Kathmandu.

Là, Dorjee fut pris en charge par son oncle, moine dans le petit monastère Gelukpa, au pied du grand Stupa. Le crâne rasé, habillé de pourpre, l'enfant tibétain allait commencer l'apprentissage de la vie religieuse. Très vite, il s'avère studieux, si bien que onze ans plus tard il passe brillamment les examens du 1e échelon dans la hiérarchie bouddhique, puis se rend en Inde pour être consacré moine par sa Sainteté le Dalaï-Lama.

Hong-Kong

Six jours après avoir quitté la vallée Sherpa, je me retrouve survolant Hong-Kong, de nuit.

Féerique et étrangement déconcertant après un trekking en dehors du temps. Et quel aéroport ! Immense, silencieux, propre et d'une organisation remarquable.

Hong-Kong, c'est la perdition. Sans argent, n'y faites jamais escale.

Mais c'est aussi un lieu d'une efficacité redoutable. Le point de départ idéal pour un voyage en Chine. En 24 heures vous obtenez votre visa, un billet d'avion ou de train selon vos moyens ou votre destination, toute la logistique que ce soit électronique, attirail photographique, vêtements, chaussures, nourriture. A des prix sans concurrence, c'est bien connu, mais à condition d'avoir l'œil, de bien se renseigner et de savoir marchander.

En Chine

En montant dans le train pour Guandzhou,l'ex-Canton, je pénètre dans une autre Asie. La Chine, c'est la République de la patience et de l'extrême débrouillardise.

En pénétrant sur le sol chinois commencent les problèmes de langue — vous parlez chinois ? —, d'argent — il y a deux monnaies —, de temps — c'est toujours fermé —.

Le maître mot devient « frustration » : un mélange de patience infinie et d'interdictions, ponctué de sourires, de serviabilité et de gentillesse.

14

C'est l'apprentissage des multiples faces du caractère chinois, du système qui semble tout figer, tout contrôler et dans lequel la marge de manœuvre de chacun reste faible.

Mon but est d'atteindre Lhassa le plus rapidement possible, donc par avion.

En descendant du train et une fois la douane passée – la Chine accueille très amicalement les étrangers et leurs devises, elle leur facilite au mieux l'entrée dans son pays – malgré l'heure tardive – 16 heures – je me précipite au bureau de la Compagnie aérienne – la C.A.A.C. – pour obtenir un billet d'avion pour Chengdhu, seul transit aérien vers Lhassa.

Heureusement, je connais bien cette ville de Guandzhou et le système compliqué d'achat des billets d'avion. Ils m'annoncent un avion pour 17 h 20, mais ne peuvent me vendre de billet, le guichet est fermé ! Alors vite un taxi et à l'aéroport. Mais là-bas je ne peux payer mon billet en devises... et la banque est fermée. Tous ces problèmes sont bien classiques et se terminent presque toujours de la même façon : le chauffeur de taxi sort son journal, vous change le dollar au cours du jour, achète votre billet et vous rend la monnaie... en monnaie locale, se faisant un bénéfice appréciable. Mais à 20 h j'atterris à Chengdhu et c'est bien là l'essentiel.

Remimbi et Effici

Pour contrôler les échanges économiques et limiter les relations entre les touristes et le peuple chinois, mais surtout entre les Chinois d'outre-mer et leur famille, la Chine a institué un système de double monnaie : sur le Yuan populaire est représentée la Chine en marche, bras levés, tête haute, machines agricoles modernes, hauts fourneaux. Le Yuan populaire s'appelle Remimbi, mais les Tibétains disent Gourmo en précisant : Gourmo c'est la monnaie importée de Chine. Notre argent à nous s'appelait « San ». Pendant plusieurs siècles, le Tibet a émis sa propre monnaie. En 1959, cette monnaie a été supprimée et remplacée par les billets de la Banque de Chine. Les billets du Yuan populaire vont de 10 Remimbi à 1 Pinne, soit l'équivalent 1987 d'environ 20 F à 2 centimes français. Cela est intéressant à souligner. Le billet le plus important vaut seulement 10 Remimbi, soit 20 F français, ce qui est dans la logique du système communiste chinois, mais nous étonne au premier abord.

L'État prend tout et redistribue à égalité, logeant, éduquant, soignant quasi gratuitement toute la population. Il ne reste donc que les dépenses personnelles, habillement et nourriture, et encore pour la partie non prise en charge par l'organisme dans lequel vous travaillez. Vos dépenses sont donc minimes, ce qui explique l'existence de ce minuscule billet de 1 Pinne, soit 2 centimes. Il est plaisant de constater que le pays qui se prétend le plus peuplé du monde émet le plus petit billet du monde ! Sur le Yuan destiné aux étrangers est représentée la Chine des estampes. « Nos » billets sont plus grands, le papier nettement plus beau. Ce yuan pour étrangers s'appelle F.E.C. − prononcez « Effici » − (Foreign exchange certificate) et fait l'objet d'un marché noir que la République Populaire de Chine essaye de combattre.

Il est important de préciser que « nos » billets vont de 100 FEC à 10 FEN. Leur valeur est donc 10 fois plus grande que celle de la monnaie locale, et « nos » prix de 10 à 20 fois supérieurs, quand ce n'est pas davantage. Malheureusement le service rendu est très loin d'être en rapport.

Au-dessus du Tibet

Chengdhu − dernière grande ville dans la plaine chinoise avant d'aborder la montagne. Encore presque au niveau de la mer − 126 m − , bien qu'à plus de 1 500 km de celle-ci, la ville est entourée de rizières et de champs de moutarde qui forment au printemps un magnifique tapis jaune et vert. Mais nous sommes en hiver, et cette fois je ne m'attarde pas à Chengdhu que j'ai déjà eu l'occasion d'amplement visiter. Arrivé de nuit, je redécolle au petit jour. Ce vol vers Lhassa est vraiment splendide. Imaginez cet avion qui roule sur la piste, s'élève au-dessus des rizières et continue à monter, inlassablement, pendant 10 minutes. Et tout-à-coup, partout, à perte de vue, la montagne. Pendant 1 h 50, l'avion va survoler cet océan figé, cette succession infinie de crêtes et de vallées, comme une mer furieuse, déchaînée. Comment s'infiltrer dans cette étendue chaotique ? Pas un village, pas la moindre trace d'une route ou d'une piste ne sont décelables depuis le hublot auquel je me colle pour m'imprégner de ce fantastique paysage.

Ce lever du jour sur le « plateau » tibétain est inoubliable. Partout au loin des sommets, des masses de montagne. Partout autour le moindre repli sculpté par la neige, rehaussé par l'ombre, ourlé par la glace.

L'avion, quelle invention ! Ce vingtième siècle est vraiment extraordinaire. Jamais l'homme n'aura autant inventé, mais aussi jamais l'homme n'aura autant détruit. Que nous sommes loin de la Sagesse, de la Voie du milieu, pensai-je en survolant ce pays tellement imprégné de la pensée bouddhiste. Je ne peux quitter des yeux ce paysage fascinant qui défile en dessous, si clair, si proche qu'il semble que l'on pourrait le toucher de la main. Je me rappelle avoir eu la chance une fois, en revenant de Rome vers Paris, de survoler ainsi toute la chaîne des Alpes, par un temps tout aussi splendide. J'étais de la même façon émerveillé. Mais machinalement j'avais regardé ma montre : le spectacle dura 20 minutes.

Lorsque l'avion se pose à Lhassa, après ces 1 h 50 de rêve, il n'est qu'à mi-parcours. Il lui faudrait encore plus de 2 heures de survol de sommets pour arriver à l'autre extrémité de cet univers unique, le Tibet.

Lhassa, capitale du Tibet

En fait, l'avion ne se pose pas à Lhassa. Ce serait trop simple. Pour des raisons qui ne regardent que la Chine, la piste d'atterrissage a été construite dans une vallée parallèle à celle de Lhassa, de l'autre côté du fleuve, isolée de la vue et du bruit par une chaîne de montagnes. Un rituel assez complexe procède à l'embarquement et au débarquement de l'avion, les mêmes bus amenant les passagers qui embarquent et repartant avec ceux qui arrivent.

Cette heure d'attente, debout, en plein soleil sur l'aéroport de Lhassa est peut-être faite pour nous acclimater à l'altitude... Nous sommes maintenant à 3 600 mètres. Quel choc.

Il y a près de 90 km jusqu'à Lhassa. Le parcours dure 2 heures. Je suis assis juste devant et dévore des yeux le paysage. La route est depuis peu entièrement goudronnée. Elle fut inaugurée il y a moins de 3 mois, en août 1985. Avant, c'était le chaos.

Lhassa ? Quelle déception !

Comme un cadeau trop longtemps attendu, cette ville hier encore interdite m'apparaît dans toute sa fadeur.

Ce n'est que ça ! Une ville de province sans caractère, une banlieue comme il y en a tant dans le monde. Je viens de quitter Chengdhu et je retrouve Chengdhu. Je suis encore en Chine.

Sans doute, la déception me fait-elle exagérer ou ne pas voir ce qui m'hypnotise : le Potala (Photo 58) ! Enorme construction qui domine la vallée, on l'aperçoit à des kilomètres de distance. Petit point blanc qui grossit, là-haut sur son mamelon, il est vite caché par les immeubles, les alignements des toits en tôle ondulée des usines, les multiples ateliers chinois, les murs d'enceinte infinis.

Et comme pour me sentir un peu « chez moi », il y a la « Tour Eiffel ». Plus petite certes, mais tellement agressive, sur une autre colline face au Potala, en plein milieu de la ville. C'est l'émetteur de télévision.

Déprime...

Pour ajouter à cela, le bus nous dépose au bureau de la compagnie aérienne et nous annonce que nos bagages suivent dans un camion, mais que nous ne pourrons les récupérer qu'en fin d'après-midi !

Heureusement le Snow Land, un des rares hôtels en cette fin 1985, est proche du Vieux Lhassa. Propreté douteuse, une fontaine dans la cour, des w.-c. plus qu'odorants. Mais il est si proche de la vieille ville que je me réconcilie bien vite avec Lhassa. Car alors tout devient fascinant. Le Tibet, le Vrai, montre enfin son visage.

Dualité entre deux peuples

Étonnant cette dualité qui apparaît constamment entre ce que l'on voit et ce que l'on vous dit ou vous montre, entre ce qu'il y aurait à faire et ce que l'on vous promet. Peut-il y avoir plus grande différence entre ces deux peuples, celui de Chine et celui du Tibet ?

Dans leur histoire, dans leur pensée, dans leur comportement, dans la géographie, dans le climat même, tout les oppose.

La Chine est toute en pastel, en trompe-l'œil, tamisée par des rideaux de brume ou de bambous, pour tout dire une estampe.

Le Tibet est particulièrement coloré, la pureté de l'air rapproche les distances, le soleil éclaire jusqu'au plus profond des lointains.

Depuis toujours le Chinois est prisonnier d'un système, d'un règlement, d'une hiérarchie, d'une famille qui limitent considérablement son indépendance.

Nomade éternel, le Tibétain est avant tout un homme libre.

Tout l'art du Chinois est de masquer ses sentiments ; quant au Tibétain, on lit sur son visage.

La Chine se situe au niveau de la mer, le Tibet est le plus haut pays du monde.

La Chine fut une civilisation raffinée, elle a des voies de communication multiples, est très peuplée, alors qu'au contraire le Tibet est quasi inhabité, impénétrable, toujours en plein moyen-âge.

Ainsi au fil des jours, des rencontres et des conversations, les exemples vont se multiplier et me faire prendre conscience de la vraie dimension du Tibet.

L'exemple le plus typique est la visite du Potala, qui domine la ville et donne tout son sens à la vallée de Lhassa. Visiter le Potala ? Mais il n'est ouvert que deux jours par semaine. Vous vous apprêtez alors à y passer la journée, à y revenir, devant la taille gigantesque de l'édifice, devant les plus de 1 000 pièces annoncées dans le dépliant touristique chinois. Erreur. Deux petites heures vous suffiront : tout est fermé. La façade, seule la façade, peinte et repeinte, compte. (Photo dos de couverture) Ah ! la façade... Sauver la face...

Décevant, n'est-ce pas ? Et pourtant construction unique au monde que le Potala.

Il en est de même de ces grandes villes monastiques proches de Lhassa : Drepung et Sera. Déception et enthousiasme. Enthousiasme par le site, l'importance des ensembles monastiques qui ont abrité jusqu'à plus de 5 000 moines. Déception par le vide : plus de moines, plus de vie. Quand je pense aux monastères du Ladakh, du Zanskar, du Népal. Petits mais

18

grouillants. Ici, au Tibet, devant : toutes ces façades blanches, magnifiques. Derrière, des ruines, des murs crevés. Heureusement quelques pèlerins, avec leurs habits en peaux, leurs visages colorés, leurs enfants sur le dos, animent un peu le décor.

Il semble qu'il en soit ainsi pour tout.

A cheval, à dos de yack ou à pied ?

Alors que faire pour parcourir ce pays immense, découvrir ces régions si peu explorées car encore si difficilement accessibles, rencontrer ce peuple dont un échantillonnage si bariolé défile chaque jour sous mes yeux en plein centre de Lhassa ?

Il faut du temps, beaucoup de temps. Déjà pour se renseigner sur les différents moyens de transport et là il ne faut pas rêver. Le Tibet n'est encore bien souvent accessible qu'à cheval, à dos de yack ou à pied (Photo 19). Cela demanderait des mois, voire des années, et serait en tout point semblable aux expéditions des explorateurs d'autrefois.

Voilà plus de vingt ans que je voyage. Avec le Tibet, j'aborde le terrain le plus difficile. Après ma quatrième expédition, je retrouve cette dualité : au cours de mes neuf mois de séjour entre novembre 1985 et avril 1987 que de choses vues, mais comme le terrain à découvrir reste immense. Pourtant comme tout semble facile en regardant la carte étalée devant moi : le doigt suit le tracé des pistes et l'esprit s'évade.

La carte ! La meilleure est au 9 millionième. Le Tibet tient dans le creux de la main ! Pour emprunter ces pistes, il y a le choix entre le bus de ligne, le camion stop ou la jeep tout-terrain.

A la gare des bus de Lhassa, toute neuve, immense... et vide – inaugurée en été 1985 – il y a une grande carte murale du Tibet avec les pistes représentées, les horaires affichés, mais... il n'y a pas de bus correspondant. Un ou deux bus font la navette, dans quelques rares directions, et repartent quand ils arrivent, l'horaire dépendant des crevaisons et des pannes. Et puis le bus ! Je vous raconterai bientôt.

Les camions vont partout. Lentement. Il y a deux places dans la cabine à côté du chauffeur. Les autres passagers montent par-dessus le chargement, derrière, en plein vent. Je vous raconterai aussi. En hiver, ce n'est pas triste.

Mais le problème primordial est que le bus, et encore moins le camion, ne s'arrêtent pas pour vous laisser prendre une photo ou aller visiter un site ou un village, ou admirer un paysage. Ils roulent pour eux, pas pour vous. Alors, pour obtenir son indépendance d'action, il faut son propre véhicule tout terrain.

En louer un et pour la destination voulue est une aventure aux épisodes multiples. Et c'est ainsi qu'à force de questionner les chauffeurs, de me faire préciser les kilométrages, les possibilités de ravitaillement en essence, la nécessité de former un convoi, j'ai vu le réseau des pistes tibétaines se réduire comme une peau de chagrin.

La jolie toile d'araignée qui recouvre le Tibet, une toile avec très peu de fils il est vrai, dessinée par le gouvernement chinois et censée représenter le réseau des pistes au Tibet, doit être réduite d'un tiers. Ce tiers manquant « sera construit dans un plan futur ». En attendant, il fait déjà partie des 25 000 km tracés sur les cartes. Dans la réalité, il y a moins de 15 000 km de pistes au Tibet. Ce qui est à la fois considérable, étant donné la difficulté souvent extrême pour tailler ces pistes sur le Toit du Monde ; ce qui est vraiment très peu si l'on considère que la superficie du Tibet est égale à cinq fois et demie celle de la France.

Mais il ne faut pas oublier que ces pistes sont avant tout militaires et que le premier coup de pioche a été donné en 1954 pour permettre à « l'armée de libération » d'arriver jusqu'à Lhassa.

Ayant ainsi défini le véritable réseau routier, j'ai commencé à cerner mes projets de façon plus précise.

Las ! Sur la moitié de ces pistes, les difficultés sont telles qu'à nouveau tous mes plans sont bouleversés : soit les cols sont bloqués par la neige en hiver ou les pistes sont détrempées et impraticables en été, soit il n'y a aucune possibilité de ravitaillement en essence sur de telles distances que cela pose des problèmes d'intendance quasi insolubles. Oh ! je vous passe le reste... et je m'excuse de paraître si long et si compliqué, mais c'est pour essayer de vous mettre dans l'atmosphère du pays. Car le Tibet de tous les jours, c'est cela. Etre confronté aux difficultés du terrain et aux nombreux règlements de l'administration chinoise, aux réticences des Tibétains pour répondre aux incessantes questions d'un étranger... qui est envoyé par qui ?

Et puis les circonstances viennent souvent bousculer l'équilibre péniblement atteint : une fête qui oblige à décaler tous les horaires, le refus alors que tout est O.K., de vous louer la jeep le matin du départ, ou comme ce jour-là dans une rue de Lhassa :

— Gilbert !

C'est Tsiring. J'ai reconnu sa voix. Ils ont un jour d'avance.

Allons vite à l'hôtel confronter nos renseignements, nos expériences. Et puis en route. Le temps passe, le froid arrive.

Chapitre II

FACE A L'EVEREST

Nouvelle ambiguité : les 2 Tingri

Tingri est un petit village insignifiant au bord de la piste Kathmandu - Lhassa, à 4 342 m d'altitude.

On en parle dans les dépliants touristiques : c'est le point de départ du trekking pour aller au camp de base de l'Everest et des expéditions à l'Everest par la face nord.

Par beau temps le petit village se découpe sur un décor de prestige, la plus haute chaîne de montagnes du monde : l'Everest, 8 848 m, avec à sa gauche le Makalu 8 475 m, le Lhotse 8 501 m, et le Lhotse shar 8 383 m ; à sa droite le Nuptse 7 879 m et le Cho-Oyu 8 151 m. Cette chaîne magnifique semble à portée de main. Il faut pourtant cinq jours pour arriver à ses pieds. Par temps couvert reste encore visible le Nangpa-La 5 716 m, col qui donne accès au Népal.

Alors Tingri, village insignifiant ? Sans doute que non puisque la Chine s'y est particulièrement intéressé. Le village a été entièrement détruit puis reconstruit et doublé par des casernes dont les troupes d'occupation surveillent toute la région. Et puis la Chine aimerait que l'on oublie jusqu'au nom du village. Alors elle a donné ce même nom de Tingri à un autre village, Chegar.

Chegar est à 70 km à l'est de Tingri, près de l'unique poste de contrôle chinois qui barre la piste qui mène à Lhassa. Le village est construit au pied d'une colline au sommet duquel était érigé le château fort aujourd'hui en ruines. A mi-pente le monastère, vide. A Chegar, le « nouveau » Tingri selon la dénomination chinoise, a été construit un « complexe » hôtelier : quelques baraques aux toits de tôle ondulée, lits en fer, cuvettes en émail et thermos d'eau chaude, toilettes à l'extérieur ; ainsi qu'un « restaurant », vaste hall sonorisé pouvant recevoir l'ensemble du village pour les réunions politiques ou « banquets » officiels. C'est le seul hôtel sur la piste, halte obligée pour les groupes et les Chinois. Autant d'importance retirée à l'autre Tingri, le vrai.

A Tingri, deux témoins me racontent

Grâce à Tsiring, Tupten et Dorjee j'ai pu enquêter à Tingri. D'une part, je ne parle pas assez bien la langue pour mener à bien une telle enquête, d'autre part ils ne m'en auraient pas autant dit. Tandis que Tsiring et Tupten sont sherpas et leurs parents sont venus ici faire du troc... avant. Quant à Dorjee, il est des leurs.

1959 – Lhassa capitule. Le Dalaï-Lama gagne l'Inde.

A Tingri, les nouvelles arrivent lentement, déformées, effrayantes.

Le vieux Tsédo me dit :

« Lorsque l'on a appris que les Chinois étaient à Lhassa, qu'ils emprisonnaient ou tuaient les riches, la panique s'est emparée de Tingri et peut-être la moitié du village a décidé de partir. Ils ont chargé leurs biens les plus précieux sur le dos des yacks, dans des hottes sur leur dos et par le Nangpa-La ont gagné le Népal. »

A cette époque Tingri était un gros village très riche. Les maisons s'étageaient autour de la colline, les grandes et belles demeures pleines de domestiques dominant les maisons plus modestes. Et juste au point le plus haut, un magnifique *shorten* en pierre. D'importants troupeaux de moutons, de chèvres et surtout de yacks apportaient l'aisance au village. Mais la richesse venait du fructueux commerce avec le Népal, ce qui permettait à de nombreuses familles de caracoler fièrement dans la plaine sur de vigoureux chevaux richement harnachés.

Par le Nangpa-La une caravane de yacks gagne normalement Thamé, le premier village sherpa, puis le grand marché de Namché Bazar en 6 ou 7 jours. Si les conditions climatiques sont médiocres ou l'enneigement inhabituel ce dur commerce peut tourner au désastre. Les récits d'aventures sont nombreux et l'on me raconte à Tingri ce que j'ai souvent entendu de l'autre côté de l'Himalaya. Tingri exportait le beurre de yack, les peaux de yack, l'orge d'altitude, la viande séchée. Tingri importait des pommes de terre séchées, du maïs, du riz, des tissus indiens, des statuettes en bronze, des épices.

Après ce départ précipité les maisons d'en-haut sont restées abandonnées et le village s'installa dans la peur.

Et, brusquement, tout bascula en 1965.

P. me raconte : « J'avais 16 ans en 1965 lorsque les Gardes Rouges sont arrivés. Tingri, le plus gros village de la région, servit d'exemple. Tout fut rasé... par nous. Les Gardes Rouges, ces jeunes Chinois qui avaient mon âge, nous ont obligés à démolir toutes les maisons, nos maisons, mais aussi le grand *shorten,* et encore les « *manis* », ces murs édifiés avec des pierres votives. Tingri comptait alors 450 maisons. Ceux qui ne voulaient pas obéir étaient si durement et si méchamment battus que tout le monde avait peur et s'exécutait. Et pendant tout ce temps, nous allions dormir dans les petits villages voisins. Puis les Chinois nous ont fait reconstruire des maisons plus petites, toutes pareilles. 110 maisons pour les 110 familles restantes. Sur 2 000 habitants, nous ne sommes plus que 600. 110 maisons enserrées entre deux blocs de l'armée. Il y avait alors 600 militaires ! Ils nous ont aussi obligés à détruire le petit monastère, un peu plus haut dans la montagne. Mais avant les Gardes Rouges ont sorti les cinq ou six statues de Bouddha et devant nous tous rassemblés ils les ont cassées. Par peur chacun exécutait les ordres, mais la nuit tous pleuraient et priaient. »

« Aujourd'hui, termine P., le cauchemar semble terminé. »

La révolution culturelle a duré dix ans. Mao Zedong est mort en 1976. A Tingri, les liens se sont un peu desserrés à partir de 1979.

P. avait alors 30 ans. « J'ai décidé de me marier avec une fille d'un village à trois jours de marche d'ici, suivant la coutume tibétaine. Les Chinois n'ont jamais empêché cela car ils ne comprennent rien à nos traditions et cela ne les intéresse pas. Ce qu'ils veulent, c'est détruire tout ce qui est ancien, le passé, et que chacun ait la même chose. »

Deux sherpas et le commandant de la place de Tingri

Nous sommes alors fin janvier 1986 et je vous rappelle que Tingri est à 4 342 m d'altitude, dans une vaste plaine balayée par le vent. Vraiment pas chaud l'endroit. Même le jour le thermomètre est en dessous de zéro. C'est le plein hiver.

Il y a à Tingri une sorte de caravansérail très rudimentaire avec « le » débit de boisson du village. Quelques bières et des bouteilles d'alcool blanc chinois ne sont achetées qu'aux grandes occasions, car trop chères. Mais la tenancière distille elle-même le *reukchi,* l'alcool d'orge. Et le soir la clientèle est si nombreuse à venir se serrer autour de son braséro que la brave femme vend son alcool encore tiède et tout le monde est saoul. Le monde, ce sont une douzaine de rudes tibétains, une demi-douzaine de soldats chinois, et... nous. C'est ici que nous attendons « discrètement » celui qui accepte de nous diriger jusqu'au monastère au pied de l'Éverest. La suspicion demeure et chacun se méfie de son voisin.

Du fait de notre présence, l'ambiance est chaude malgré les blocs de glace entreposés à la porte, réserve d'eau de la tenancière. Une foule de gamins se bouscule pour nous apercevoir, nous deviner dans le vague halo de la lampe-tempête. Et tout-à-coup, le brouhaha fait place au silence, les enfants s'écartent, nous nous poussons sur le banc pour faire place au dernier arrivant : l'officier. Son ordonnance reste debout près de la porte. L'atmosphère est rompue, chacun boit en échangeant des propos sans importance. Je ne tarde pas à sortir avec Dorjee, laissant mes deux sherpas affronter l'officier. La nuit complice nous permet de partir avec notre homme et de passer la soirée chez lui, en famille, autour d'un thé salé au beurre et de viande de yack.

19 h 30. Nous regagnons le caravansérail pour nous coucher, satisfaits. Tout est organisé pour le départ demain matin.

Tupten nous attend, seul.

— « Vite, Gilbert. Le Chinois veut te voir. Il nous a pris nos passeports. »

Ils ne sont que cinq ou six à l'auberge. Tsiring assis près de l'officier, l'œil vitreux. Près de la porte l'ordonnance, impassible.

— Montrez-moi votre passeport, me demande l'officier d'une voix pâteuse.

— Il a pris le mien et l'a mis dans sa poche sans même le regarder, me souffle Tsiring.

— Reprends-lui. Il est tellement saôul qu'il ne va pas s'en apercevoir.

Mais peine perdue.

— Quand lui rendrez-vous son passeport, nous partons demain matin ?

— Demain matin, me répond-il.

Alors je sors.

Peu après le Chinois sort en titubant, suivi de son ordonnance. Il appelle Tsiring, Tupten et leur dit de les suivre. Je regarde la direction. Ils vont chez lui.

Il est maintenant 21 heures. Il gèle à pierre fendre et personne ne revient. Je retourne à l'auberge maintenant vide. Ils me disent de ne pas m'inquiéter.

21 h 30 — Ils me répètent : attendez encore.

22 h — Conduisez-moi pour me montrer la maison.

On me laisse devant la porte d'entrée en tôle ondulée. Je frappe. Peu après l'ordonnance m'ouvre, pas étonné. Il a l'habitude, semble-t-il. J'entre dans une grande cour, un caravansérail privé en somme. Nous nous dirigeons vers la seule porte ouverte d'où une faible lueur apparaît.

Ils jouent tous les trois aux cartes. Plutôt une partie de bras de fer, à qui s'écroulera le premier. L'ordonnance remplit les verres au fur et à mesure, redonne une cigarette, tend la chandelle pour l'allumer. Quel spectacle ! L'officier défiguré, décomposé, hagard, débraillé, voudrait que je joue aussi. Et puis ils parlent. Lui de sa vie : il est tibétain, d'un village à côté. Enfant intelligent, repéré par l'armée chinoise, il a été envoyé à l'école pour apprendre le chinois, puis enrôlé dans l'armée. Maintenant, il a un

24

grade, un salaire, mais il a perdu son identité : rejeté par ses frères qui l'appellent « Le Chinois », dédaigné par les Chinois jaloux de son grade.

Il dit encore : « En 1983, une partie des militaires de la garnison est rentrée en Chine. Aujourd'hui, nous sommes encore une centaine, Chinois et Tibétains. Pour quoi faire ? »

Cette pitoyable mascarade d'interrogatoire aviné va durer jusqu'à minuit ! La véritable question est : Que fait ici cet étranger, seul avec des sherpas ? Certainement il va passer le Nangpa-La, ce qui est interdit. Finalement, nous rentrons... sans les passeports.

« Je les donnerai demain. Passez me voir en partant. »

Deux fois deux yacks pour un trekking

Dur le réveil !

Nous chargeons nos sacs à dos et partons. L'officier, encore au lit, donne les passeports comme si de rien n'était et nous souhaite bon voyage.

En début d'après-midi, comme convenu, nous retrouvons notre homme et ses deux yacks... à l'abri des regards derrière une colline, loin du village. Nous avons tout l'air de conspirateurs. Et en fin d'après-midi nous rejoignons un troupeau de moutons. Avec les bergers un homme, sa petite fille et deux autres yacks chargés de gros ballots de foin. Alors notre premier guide nous quitte. Cette fois notre équipe est constituée (photo 9). Notre palefrenier, appelons-le Passang, vérifie les charges. Sur les deux premiers yacks une tente en poils de yack, de la tsampa — farine d'orge — de la viande de yack séchée, quelques gamelles pour faire la cuisine, un de nos sacs à dos. Sur les deux autres, la nourriture des yacks et la fille de Passang. Je l'appellerai Dolma, comme ma propre fille (photo 12). Tingri a disparu. Nous avons déjà passé un autre petit village, le monastère en ruines et maintenant devant, à perte de vue, la plaine avec, en fond, cette superbe chaîne de montagnes.

Quatre jours, ou plutôt trois nuits, seront nécessaires pour atteindre le monastère de Rongbuck. Car ce sont les nuits qui sont terribles.

Terriblement longues, froides, ventées, à l'abri sous la tente tibétaine. Un abri bien précaire, une vraie tente courant d'air. Songez, la porte ne ferme pas et le haut reste ouvert pour permettre à la fumée de s'échapper. On cuisine à l'intérieur sur trois pierres qui constituent le foyer, utilisant les brindilles ou la bouse de yack ramassée en chemin. S'il pleut ou s'il neige, on jette une couverture sur l'ouverture faîtière. A l'intérieur, les bagages et ballots de foin sont entassés sur le pourtour pour éviter les courants d'air au ras du sol. Nous nous serrons tous les quatre dans nos sacs de couchage. Passang dort avec la petite Dolma serrée contre lui, emmitouflée dans ses habits de peaux de bête, recouverts d'une lourde couverture en laine tissée à la maison.

Dès trois heures de l'après-midi le vent se lève. Un vent terriblement froid qui balaie la plaine, que rien n'arrête. Monter la tente est un prodige. Sitôt le feu allumé nous sommes enfumés comme des bêtes. Le vent rabat la fumée âcre de la bouse de yack qui nous pique la gorge, le nez et nous déclenche d'interminables quintes de toux. La petite Dolma se roule par terre et dès la première volute de fumée se met aussitôt à tousser. Je me demande, tant cette fumée est irrespirable, s'il n'y a pas une relation entre la fumée âcre des bouses de yack qu'ils respirent à longueur d'année et la tuberculose, une maladie qui sévit beaucoup là-haut.

Le matin, nous attendons que le soleil vienne caresser la tente pour nous secouer. Tout est gelé. Même la toison des yacks est couverte de givre. La caméra devient glaçon et colle à la peau. Impossible de filmer le petit déjeuner des yacks. Dans une marmite d'eau bouillante Passang jette de la farine grossièrement moulue, la malaxe pour en former une boule qui tient dans ses deux mains. Il en moule ainsi trois pour chacun des yacks. Dolma va alors leur donner à manger, se faufilant sous l'encolure des grosses bêtes aux cornes effilées, magnifiques (Photo 10). Les yacks l'attendent, l'appellent en ronronnant presque d'un meuglement rentré qui roule au fond de la gorge. Ils lui lècheraient bien la figure de leur énorme langue !

Passang a sa maison à Tingri. Mais sa vraie demeure, sa véritable vie, c'est ici sous la tente. Eternel nomade, comme tous les Tibétains. Il a ce rythme lent adapté au pas des yacks, ce réflexe de ramasser une brindille tout en marchant, cette façon de reformer le foyer sous la tente. Et là, assis en tailleur dans ses habits de peau rapiécés, très chauds mais si lourds et raides, attendant que l'eau bouille pour le thé, il parle.

Confidences sous la tente

« Que pouvions-nous faire ? A Tingri, il ne restait que les paysans. Les Chinois ont mis des haut-parleurs, nous ont tous rassemblés et nous ont dit : « Tout est à vous, les terres, les troupeaux. Les riches et les moines vous exploitaient. C'est fini. »

« Alors ils ont tout pris ! Et chaque matin, en hiver comme en été, ils nous rassemblaient, nous tenaient des discours auxquels nous ne comprenions rien, nous citaient leur premier ministre et organisaient notre travail.

« Par exemple ils ordonnaient : partez à dix cultiver cet endroit-là. Peut-être c'était déjà un champ, ou un pâturage, ou rien du tout. Peut-être c'était en plein été, ou en plein hiver.

« A d'autres ils disaient : menez les troupeaux par- là, ou par- là. C'est-à-dire n'importe où, à n'importe quelle saison.

« De même ceux qui étaient désignés ne savaient pas forcément faire le travail. Et le soir ils nous obligeaient à rentrer les yacks dans les étables, même en été. Alors ce fut terrible : il a fallu semer du blé de Chine qui n'a pas poussé à cette altitude ; les animaux mouraient de faim ou de chaleur dans les étables ; dans le village aussi nous avons eu beaucoup de morts. »

Passang se tait, les yeux au loin. Ici, dans l'immensité des hautes terres, dans le refuge de cette solitude à laquelle il est tellement habitué, il se sent en confiance.

« Dorjee, dis bien aux autres Tibétains, à ceux qui sont partis, tout ce qui nous est arrivé. Dites-le à tous les sherpas, dites-le à tout le monde. Vous voyez, depuis que nous avons franchi ce col à 6 000 m et que de l'autre côté nous avons retrouvé le torrent, toutes les trois heures de marche il y a un petit monastère. Vous les avez vus. Ils sont tous en ruines. Et là-bas dans le fond cette dernière ruine, c'était notre beau monastère de Rongbuck, juste en face de Chomolungma, la déesse mère des dieux, l'Everest. Nous y serons ce soir. »

Deux vieilles nonnes face à l'Everest

Seules deux vieilles nonnes ont eu l'abnégation de revenir vivre ici. Oh ! le site est grandiose, unique puisque dominé par l'Everest, mais tellement isolé (photo 11). Seul le grand *shorten,* une salle de prières et trois pièces ont été reconstruits par les villageois. C'est dans la troisième pièce que nous nous abritons.

La plus vieille nonne a 75 ans (Photo 14), l'autre 55. Cette dernière, Ani Sonam La, trottine comme un cabri. Difficile de la suivre au milieu des ruines. Elle les connaît si bien ! La voilà qui disparaît derrière un pan de mur recouvert de fresques à demi effacées. Elle enjambe une fenêtre éventrée, monte trois marches, disparaît à nouveau et nous hèle au loin. Par où est-elle passée ? Apercevoir des ruines depuis la piste, c'est lire un moment d'histoire. Elles témoignent alors du passé. Y suivre une nonne qui, tel un feu follet, anime d'une flamme éphémère ces ruines encore chaudes, c'est toucher du doigt l'histoire, constater combien ce passé est présent.

Et lorsque nous nous retrouvons tous dans la petite pièce d'Ani Sonam La, à l'abri du vent, au chaud près du braséro, l'histoire tourne au pathétique. Tout simplement parce que ceux qui ont construit cette histoire, qui ont détruit le monastère, sont devant moi !

A tour de rôle, Ani Sonam La et Passang m'expliquent :

« Un matin, les Gardes Rouges ont rassemblé tout le village. C'était en 1966. »

— Tous les garçons et les filles entre 18 et 25 ans, mettez-vous là.

Alors Passang est sorti avec d'autres.

— Tous les moines et toutes les nonnes, mettez-vous là.

Alors j'ai dû aussi me joindre aux autres, soupire Ani Sonam La.

— Prenez chacun une pelle ou une pioche et un peu de nourriture. Rassemblement dans dix minutes.

Et nous avons marché pendant trois jours pour arriver ici. »

Tuchi Rimpoché, le très vénéré abbé du monastère, avait gagné le Népal avec quelques moines en 1959. Il dirige aujourd'hui un nouveau monastère, près de Zumbéchi, à la lisière du pays sherpa.

« Avec les moines restant, sous la menace des armes, à coups de pelles et de pioches, explique Passang, nous avons dû tout casser. En deux jours le carnage était consommé. Le froid, le vent, la pluie ont fait le reste. Et nous avons regagné notre village, portant les poutres de soutien des salles de prières pour construire les casernes. »

La vieille nonne prie.

Ani Sonam La sanglote.

Passang a la voix cassée.

C'est dur de voir un homme pleurer.

Deux nuits au village de Tcheuzong

Nous arrivons éreintés au petit village de Tcheuzong, le visage gelé par le vent glacial qui nous frappe de face. Le froid nous transperce jusqu'aux os, tous sauf la petite Dolma. Emmitouflée dans ses hardes, elle dort sur le dos d'un yack.

Un ramassis d'enfants au milieu de quelques adultes nous accueille. Ils ont tous le visage rougi par le vent froid, sont sales à souhait, tous vêtus de peaux de bêtes (photo 15). Assez impressionnant.

Un jeune et grand gaillard nous reconnaît et nous emmène chez lui. Nous l'avions rencontré dans la montagne avec son troupeau de yacks quelques jours auparavant et son magnifique couvre-chef m'avait frappé : la peau d'un renard à l'épais pelage roux (photo 13).

L'accueil de la famille est superbe. Il semble qu'aucun événement n'ait jamais marqué ce petit coin du Tibet. Nous ne sommes pas au Moyen Age mais à une période sans âge.

Ils vivent là comme ils ont toujours vécu, dans la pénombre, la poussière, la fumée, au point que leur peau est toute imprégnée de poussière, du gras du beurre de leur thé, de cendre. Mais comment faire autrement ? Dehors, il fait si froid. Le torrent est gelé. La peau doit devenir peau de crocodile pour supporter ces intempéries.

Et malgré les coups du sort et les rigueurs du climat, ou peut-être à cause de tout cela, un grand sourire éclaire tous ces visages.

La maman a onze enfants. Le fils aîné a 25 ans, la petite dernière 3 mois. La seconde, une fille, est mariée dans le village. Tous les autres sont à la maison. Nous dormons chez eux.

Ce soir-là, après dîner, le fils sort dans la nuit. Il revient peu après avec cinq amis dont Lakpa, un jeune berger, barde à ses heures, qui joue du damiang, instrument à deux cordes. Alors Dawa, notre chanteuse famiiliale, prend la soirée en main.

Le thé salé beurré circule. Nous le buvons dans de petits bols en bois. Les chants vont succéder aux histoires, aux danses. L'humour est sur toutes les lèvres. Les enfants sont excités, le bébé réveillé. Son lange n'est autre qu'un sac en peau de bête, rempli à demi de bouse de yack en poudre. Machinalement, la mère plonge la main dans le sac et en retire les miettes agglutinées par le pipi du bébé. Puis elle refait le plein. Quelle soirée mémorable ! Avec leurs voix de tête, cette guitare sèche, ils vous créent une de ces ambiances...

Entre deux rires, Dorjee et Tsiring ont bien du mal à m'expliquer ces chants qui se succèdent sans discontinuer. Chanson mélancolique de gardien de troupeau ; chant de clair de lune propice à déclarer son amour pour sa belle ; chanson aux paroles très crues, ironiques et cyniques pour « celui » − Mao Zedong − qui ordonna toutes ces folies − ici aussi le petit monastère est détruit − ; l'hymne national tibétain ; et encore ce très beau chant d'espoir dans lequel ils demandent au Dalaï-Lama, leur chef spirituel omniprésent dans leur pensée, de revenir vite s'asseoir sur son trône d'or, dans son palais de Lhassa.

A la fin de leur « récital » j'offre à chacun une photo du Dalaï-Lama. Aussitôt les rires cessent. Ils disposent l'une des photos derrière une petite lampe à beurre, tous se lèvent et récitent une prière. Puis, spontanément, ils entonnent à nouveau ce chant d'espoir et se mettent à danser, soulevant la poussière. Et dans ce bruit cadencé, la mère se penche vers moi et m'explique :

« Tout à l'heure ils chantaient pour demander son retour, mais là, avec cette photo, c'est un peu comme s'il était vraiment assis sur son trône d'or à Lhassa. »

Ce jour-là, chantent les Tibétains, l'or brillera et le soleil resplendira.

Halte forcée à Chigatse

La piste étant à un jour de marche, nous abandonnons nos yacks pour un cheval plus rapide, portant nos seuls bagages.

Ensuite un camion nous emmène par un col invraisemblable, une piste étroite et tortueuse des plus mauvaises qui nous permet d'admirer une dernière fois cette longue et splendide chaîne de plus de 8 000 mètres et tous ces contreforts dénudés que nous venons de traverser. Le moteur a du mal à tirer. Il fait si froid que l'eau du radiateur n'est qu'à 40. Et cet engin ferraillant et crachotant nous abandonne au caravansérail de jonction de la piste Kathmandu-Lhassa.

Nous nous croyons déjà arrivés. Erreur !

Le lendemain, un seul camion passe. Et si chargé qu'il ne peut nous ajouter. Nous partons le surlendemain, nous installant comme nous pouvons sur un chargement de poutres et de bambous du Népal. 7 h 30 de trajet dans l'air glacé, deux cols à 5 220 m puis 4 500 m, la nuit qui tombe et avec elle le froid intense. A l'arrivée à Chigatsé nous claquons des dents et mourons de faim.

Nous aurons le temps de nous remettre : deux jours d'attente ! Ni bus, ni camions pour Lhassa. Seule la patience...

Chigatse. Les Tibétains appellent leur ville Chigatsé. Comme les Chinois n'arrivent pas à prononcer le « ch » ils disent Rigatsé, en roulant le R, à la méridionale. Mais allez savoir pourquoi ils l'écrivent avec un « X »... D'ailleurs, pour simplifier, on pourrait dire qu'il y a bien deux villes. Chigatsé, la ville tibétaine construite toute en terre, aux ruelles tortueuses poussiéreuses, qui se termine par un marché coloré au pied des ruines du palais forteresse. Chigatsé, lentement absorbée par Xigatsé, la très grande ville chinoise aux larges avenues goudronnées. Une banlieue tentaculaire avec un supermarché souvent fermé et un grand hôtel de 500 lits inauguré en juillet 1985 avant même d'être terminé.

A Chigatsé ou Xigatsé, tout le monde parle chinois. Les enfants prononcent leur nom tibétain à la chinoise, même entre eux lorsqu'ils s'appellent. Il y a tant de Chinois dans la ville. Et tant d'uniformes.

Comment imaginer le grand bouleversement en voyant l'activité dans les ruelles (photos 16-17), en voyant les Tibétains vous tirer la langue pour répondre à votre salut, ou encore l'ambiance immuable créée par les marchands assis par terre, derrière leur étal, sur la place du marché. Viande de yack séchée, viande fraîchement coupée toute dégoulinante de sang, thé, beurre, sel, fruits et légumes de toutes sortes, biscuits, tissus, tchuba, objets du culte. Une question s'impose : pourquoi mange-t-on si mal au Tibet alors qu'il y a une telle variété d'excellents produits sur les marchés ? Tout simplement parce qu'il n'y a pas un seul restaurant tibétain sur tout le territoire du Tibet. Les autorisations d'ouvrir un restaurant ne sont données qu'aux Chinois qui cuisinent à leur façon totalement inadaptée ici puisque faite pour un climat de plaine tropicale alors que l'altitude moyenne du Tibet est de 4 000 mètres.

Semblant au-dessus de la mêlée, dominant encore mais pour combien de temps, le Tashilumpo, la ville monastique (Photo 21). A sa tête le Panchen Lama, deuxième autorité religieuse du Tibet, qui vit à Pékin. 4 000 moines « avant ». Tous chassés, tués ou enfuis. Aujourd'hui 600 sont revenus.

Dorjee est ravi de cette halte forcée. Mais malgré son habit monastique il doit se plier aux horaires des pèlerins pour pénétrer dans l'enceinte. Grâce à Dorjee, nous allons partout dans ce dédale de ruelles, escaliers, portes, couloirs, terrasses (photo 46). Le soleil éclaire les toitures d'or, le vent fouette les innombrables drapeaux de prières, les moines prient. Dans une vaste pièce, un peu à l'écart, l'imprimerie du monastère. Des rangées de planchettes sculptées de textes religieux permettent d'imprimer les livres de prières comme au temps de Gutenberg. Dorjee discute longuement et regagnera le Népal avec un de ces livres. Son petit monastère de Bodnath fait partie de la secte Gelukpa, comme cette ville monastique de Tashilumpo. Comme les pèlerins, nous en faisons le tour par l'extérieur, longeant le mur d'enceinte. Certains en feront plusieurs fois le tour en se prosternant. Alors pourquoi à l'angle sud-est l'armée a-t-elle construit des casernes ? Mais pourquoi d'une de ces casernes chinoises les toilettes s'écoulent-elles dans ce chemin sacré que les pèlerins parcourent en se prosternant ?

Retour épique sur Lhassa

14 heures. Le caravansérail s'anime. En un quart d'heure tous les passagers arrivent... avec leurs monceaux de bagages et les familles qui les accompagnent jusqu'aux derniers adieux. Et voilà le bus. Il faut peser les bagages pour payer l'excédent de poids. Nous avons théoriquement droit à 30 kg par personne. Un moine, à lui tout seul, a 250 kg de cantines et livres de prières. Une famille de 5 adultes et 4 enfants a 180 kilos. Quatre khampas se présentent avec 300 kg dont un ballot de 45 kg de peaux de mouton. Tous ces colis sont hissés péniblement sur le toit, s'entassent en un gigantesque tas qui monte de plus en plus haut, avec une bicyclette pour couronner le tout. Nos sacs à dos ont l'air ridicules ! Je calcule qu'il y a près de deux tonnes sur le toit. Une bâche est jetée sur tout cela, des cordes solidement tendues.

La Chinoise « chef de gare » appelle maintenant les passagers... en chinois ! D'abord ceux du fond. Seuls les adultes ont des places. Les enfants sont en surplus. Mais avant de s'installer les adultes casent les « bagages à main ». Sous les sièges, entre les sièges, dans l'allée. Partout. Il n'y a pas de filets. Puis sur leur siège ils disposent leurs énormes manteaux de peau. Alors ils s'installent, se serrent, prennent les petits sur les genoux, les plus grands s'assoient sur les bagages dans l'allée étroite. A ma gauche, dans l'allée, coincé par son frère de 10 ans qui lui fait face, un garçon de 13 ans s'appuie sur le dos de sa sœur, dans le sens de la marche. Derrière, un léopard des neiges ! Tout du moins la peau, vidée mais séchée dans la forme de l'animal, prenant donc une place à elle seule. A côté, une jeune femme, sa petite fille de 2 ans dans le dos, maintenue par un grand châle. Il y a aussi deux militaires chinois — les deux seuls Chinois — avec tous leurs bagages dans leurs pieds, sous leurs sièges, dans l'allée. Ils n'ont pas osé monter sur le toit. Ils ont même un bouquet de longues plumes de paon venant du Népal dont ils essaient de prendre le plus grand soin.

Ça déborde !

S'installer est toute une gymnastique, un vrai puzzle. Sortir est acrobatique.

Après des jours dans la solitude des hautes terres ventées, la promiscuité dans ce bus surchargé va durer quinze heures.

Au bout de ces quinze heures, sous l'œil étonné des deux militaires, tout-à-coup les enfants se lèvent, les adultes se signent et une prière recouvre le bruit du moteur : nous sommes en vue du Potala, nous arrivons à Lhassa.

Tibet des hommes

2

3

4

Mon équipe :

Dorjee
Tsiring
Tupten

5

6

sur la piste Kathmandu-Lhassa...

7

... les Hautes Terres du Tibet

8

9

10

Passang et Dolma se rendent au...

11

... monastère de Rongbuck face à l'Everest

boire l'eau gelée...

... ou le thé brûlant

14

75 ans... mais

est-on encore au Moyen Age ou à une époque sans âge ?

16

dans la Chigatsé tibétaine

17

nomade éternel le tibétain garde l'esprit libre

halte au monastère de Sakya

le Monastère de Tashilumpo, siège du Panchen Lama...

et le grand Shorten de Gyantsé, aux deux extrêmités de la « Beauce tibétaine »

23

24

venant de toutes les régions du Tibet,
les pèlerins se retrouvent à Lhassa

26

au centre de Lhassa, le Parkor

27

28

29

30

lac turquoise peu avant Lhassa

31

barque en peau de yack sur le Yarlung Tsampo

32

« les tours ont été construites avec du beurre, du sang et du lait caillé »

la vallée des démons mangeurs d'homme

la vallée sauvage

35

36

pèlerin du Toit du Monde

jeune Khampa

AU PAYS DES KHAMPAS

Les démons mangeurs d'homme

Un jour, en explorant le Tibet profond, j'ai entendu parler d'une vallée habitée par des ogres. C'était un soir, il neigeait et j'ai d'abord cru que l'on commençait à me raconter une de ces légendes interminables comme il y en a tant au Tibet.

Mais à force d'interroger, d'essayer de situer cette vallée pour y aller, la légende s'est précisée... et les craintes des conteurs amplifiées. Surtout ne cherchez pas à les voir, ce sont des empoisonneurs. D'ailleurs la vallée est interdite.

Interdite ? En y arrivant j'ai compris pourquoi. Il m'a fallu traverser toute une zone militaire, l'oreille de l'armée si je puis dire : plusieurs hectares tendus d'un treillis de fils de cuivre reliés à des pylones en connexion avec des radars qui tournent inlassablement sur les sommets à l'entour. Le Tibet zone stratégique. De là-haut, ils peuvent surveiller jusqu'au golfe du Bengale.

Par quel hasard ai-je pu traverser toutes ces installations ?

Quant aux empoisonneurs, ils nagent en plein roman, ils vivent dans la légende. Celle de Guésar de Ling, preux chevalier, défenseur des opprimés, qui délivra la région du roi des démons. Après des jours et des nuits de bataille, le chevalier Guésar a pourfendu de sa longue épée le roi des ogres qui, dans un terrible rugissement, s'est effondré dans le lac tout proche, mort.

Les habitants m'ont montré son intestin pétrifié qui pointe à un bout du lac et en fait le tour – plusieurs kilomètres – !

Nous sommes les descendants de Guésar, me disent-ils avec fierté. Regardez notre chapeau de feutre au rebord si particulier. Voyez notre habit, comme une peau de tigre jetée sur nos épaules, avec juste un trou pour passer la tête. C'était la tenue du roi des ogres. »

« Oh ! je sais, vous ne me croyez pas. Alors venez voir. »

Les tours mystérieuses du roi des ogres

La femme me précède à l'extérieur du village. Nous marchons quelque temps et tout-à-coup, à un détour du chemin, au loin, des tours immenses (photo 32) Cinq tours disposées en quinconce.

« C'est là qu'ils habitaient, me dit-elle, le démon, la démonne et leurs trois filles. Les tours ont été construites avec du beurre, du sang et du lait caillé. La beauté des trois filles était telle que les caravaniers de passage ne pouvaient résister à leur invitation; Alors ils les empoisonnaient et les marchandises prises sur le dos des yacks s'accumulaient dans les tours. »

En m'approchant, je suis saisi par la pureté des lignes, la solidité de l'ouvrage tout en pierres, l'importance de la construction. Dix étages, 30 mètres de hauteur. Les tours ont une assise carrée se resserrant vers le haut. Les planchers et les échelles pour y monter ont disparu. Les Chinois ont dit aux habitants : « Brûlez tout ça et prenez les pierres pour construire vos maisons ». En somme, faites table rase du passé. Déjà de nombreuses tours sont démolies.

Sur l'histoire de ces tours, les villageois ne sont pas d'accord. Ni sur leur âge d'ailleurs.

Certains disent : « On faisait du feu en haut pour prévenir lors des guerres ». Mais d'autres disent : « Elles avaient un toit ».

Il est probable que la légende et la réalité se rejoignent et que ces tours servaient de « coffre-fort » aux villageois pour conserver leurs biens à l'abri du feu — les maisons sont en bois — et des guerres intestines lorsque le Tibet était partagé en une multitude de royaumes, au VIIe siècle.

Nous sommes à 350 km à l'est de Lhassa, sur les terres des Kongo, près du royaume de Hor et de la province du Kham (photo 33).

Pour ma part, j'ai vu quatre sites analogues dans un faible rayon. Mais nulle part ailleurs au Tibet.

Des découvertes de ce genre, le Tibet nous en réserve beaucoup. En fait, en 1987, on ne connaît rien de ce pays quasi impénétrable, grand comme cinq fois et demi la France !

La piste

La jeep Toyota 4 roues motrices toute neuve cahote lourdement sur la piste, j'ai réussi à louer ce véhicule à Lhassa. Avant de partir le directeur a dit au chauffeur : « Fais très attention. Pas d'accident avec un étranger à bord. Tu auras cinq gourmo d'amende par cheveu abîmé ! » Il en gagne 250. Ce chauffeur est un as, est Tibétain, sera vite un ami. Il fait des prodiges car la piste… En ce début du mois de mars, tout est enneigé. La très longue montée — 32 km —

vers le col à 4 720 m traverse un paysage magnifique de grands pins alpestres couverts de neige. Une succession d'arbres de Noël ! Et puis la végétation disparaît et nous nous retrouvons seuls, unique point noir sur cet immense col blanc balayé par le vent, le capot pointé vers le ciel blanc chargé de neige. Nous nous arrêtons au col. Le *shorten* de pierres disparaît sous la neige. Les drapeaux de prières pendent, engourdis par le froid. Pour aller accrocher le sien, notre chauffeur s'enfonce dans la neige jusqu'au ventre.

21 km de descente, très lentement, avec les 4 roues motrices. Et à la sortie d'un virage, un bus en travers. « Le » bus qui va à Lhassa. Le prochain dans trois ou quatre jours... ou une semaine. Tout le monde est descendu. Le chauffeur met les chaînes aux roues arrière motrices, puis il sort une longue corde, l'accroche au pare-choc avant. Les passagers s'en emparent et tirent, remettent leur bus sur le droit chemin. Nous nous croisons de justesse.

Et la descente continue, glissante, tortueuse. Au fond un torrent, de l'autre côté ça remonte. Quelle piste incroyable. Changement continuel d'altitude donc de paysages, de végétation. Tour à tour la forêt puis l'aridité des hautes terres, des maisons en bois, puis des maisons en terre. Encore un col. 5 400 mètres. Nous redescendons longtemps, très longtemps. Un slalom géant au milieu de ces crêtes à perte de vue. 60 km ! Rien ni personne sauf, rythmant les distances, une « Dofanne », une maison pour l'entretien de la piste.

Sur des milliers de kilomètres de pistes qui sillonnent le Tibet, tous les dix kilomètres exactement est construite une maison en U avec une cour au milieu. Vous les trouvez dans un virage, près d'un col, dans la forêt ou par chance dans un village. Là vivent une vingtaine de personnes dans une promiscuité effrayante, perdues dans le paysage. Leur travail : entretenir dix kilomètres de piste, cinq de chaque côté de leur maison. Ici dans les cols, ils ont un petit bulldozer-chasse-neige, un petit tracteur qui tire une barre qui racle la piste, écrêtant la tôle ondulée, des pelles et... des gants blancs. Dans la plaine, le bull et le tracteur sont remplacés par une charrette à âne et une mule qui tire la barre.

Deux fois je me suis arrêté dans ces dofannes qui ne sont ni hôtel ni restaurant. Je n'y ai vu que des Chinoises et des Chinois, célibataires semble-t-il, de tous âges. Ils y sont depuis des années. Ce n'est plus ni une punition, ni le bagne, c'est l'enfer.

Ces dofannes, ou tous les 70 km ces haltes aménagées pour l'armée, c'est la méticuleuse organisation chinoise dans la plus pure tradition, qui contraste avec le laisser-aller bon enfant des Tibétains.

Petit à petit la neige fait place à l'aridité des collines colorées. Au loin une colline rouge, des champs rouges, des maisons, tout un village rouge.

Encore un col, beaucoup plus court, mais aux virages lovés sur eux-mêmes. Impressionnant. En haut, c'est toujours l'éblouissement. De tous côté, des lignes de crête, à l'infini. Blanches, marrons, verdâtres.

Les nuances des couleurs de la nature sont subtiles. A perte de vue, le « plateau tibétain ». Les habitants disent « les hautes terres ». Il reste 13 km de descente pour arriver à l'hôtel, situé à 4 390 m d'altitude.

Les villes chinoises

Cette succession de cols et de vallées nous a fait traverser des villes qui n'existent pas sur la carte : Chamda, Pepa, Pahi. Ce sont des villes surgies des bois sous la baguette des Chinois. Souvent doublées d'une grosse caserne. Tristes à souhait, sans âme ni caractère. C'est d'autant plus frappant que les villages tibétains, aussi petits ou perdus soient-ils, ont une forte personnalité. Ici ce sont des villes far-west, puisqu'à l'ouest de la Chine c'est tout simplement la conquête de l'Ouest ! Avec une différence de taille, les Chinoises et les Chinois qui y vivent y ont été envoyés de force. Pour beaucoup au moment de la révolution culturelle qui a terriblement sévi en Chine aussi.

Une grande rue principale pavée, quelques rues transversales en terre. En façade, des petits immeubles ; derrière, des masures. Des boutiques sans vitrines, aux étagères grossières. Dessus ? Des masques en gaze, à mettre sur le nez et la bouche pour se protéger de la poussière, les inévitables gants blancs, mais aussi des biscuits, des quantités de bonbons, toutes les marques de cigarettes chinoises, toutes les marques de bouteilles d'alcool blanc.

D'ailleurs combien de petites échopes ai-je vu au bord de la piste, de ces « épiceries de campagne » où les Tibétains peuvent venir se ravitailler, avec en tout et pour tout ces trois articles, bonbons, cigarettes, alcool.

Comment occuper son temps dans ces villes habitées par des déracinés sans espoir de retour ? Avec ce jeu national chinois, le billard. Et bien sûr en passant d'interminables soirées dans ces cafés tripots en jouant aux cartes et autres jeux de chez eux. Car ils n'ont que peu d'espoir de retour ces Hans perdus sur les Hautes Terres. Le système les bloque ici. Ils doivent vivre et mourir sur le lieu écrit sur leur carte d'identité nationale. Or vous savez que simplement pour se déplacer à travers la Chine un Chinois doit avoir un ordre de mission ! Il ne peut donc changer de province sans en référer en haut lieu. C'est le Système, le Gouvernement qui organise tout. L'initiative individuelle est très mal tolérée.

« Voilà ce qu'« ils » ont voulu imposer au Tibet, me disait le vieux Tashi un jour à Lhassa, à nous qui sommes avant tout des nomades, des hommes libres. »

Ces villes chinoises sont des haltes insipides pour nous. Outre que les hôtels sont sales et malodorants, les occupants sont particulièrement bruyants. Ils rentrent à toute heure de la nuit, parlent fort, rient aux éclats ou, trop souvent, clament des chants avinés. Les portes claquent, ils s'écroulent sur leurs lits en fer et discutent d'une voix pâteuse.

Dès potron-minet, l'hôtel s'ébranle. A 7 heures du matin la radio diffuse par haut-parleurs sur toute la ville les informations. A 7 h 30 musique cadencée, entraînante, pour la gymnastique quotidienne avec par dessus les 1, 2, 3, 4 sur plusieurs rythmes. A 8 heures, de la musique ou des chansons. Un matin, j'ai même entendu « La Marseillaise », en chinois bien sûr. Je ne vous étonnerai pas en vous disant que ces villes chinoises sont toujours construites dans les vallées les plus basses, les plus larges, les plus riches. Et partout dans cette province du Kham, des petites usines pour l'exploitation du bois (meubles, allumettes), ou des fabriques de tuiles recouvertes de la sempiternelle tôle ondulée.

Plus de hans que de tibétains au Tibet

Vous pouvez vous étonner que j'emploie toujours les termes « ville » lorsque je parle des localités chinoises et « village » lorsqu'il s'agit des tibétaines. C'est ainsi que je l'ai vu à travers le pays. Les villages tibétains sont toujours petits, groupés, en équilibre avec les ressources du milieu naturel. Ainsi, dans la riche plaine de Lhassa, il y avait Lhassa, 40 000 habitants et 20 000 moines ; les gros villages alentour pouvaient compter entre 2 et 3 000 habitants. Allez savoir exactement, il n'y a jamais eu de recensement au Tibet du temps des Tibétains. Il leur importait peu de savoir combien ils étaient.

La deuxième ville du Tibet, Chigatsé, 10 000 habitants et 4 000 moines. De même les villages entre Chigatsé et Gyantsé (Photo 22), la Beauce tibétaine, cette plaine extrêmement fertile d'une centaine de kilomètres de long, abritaient chacun 2 à 3 000 habitants. On a estimé qu'il y avait environ 6 millions d'habitants au Tibet. A l'époque il s'agissait de Tibétains, bien sûr. Mais de quel Tibet ? Du Tibet historique, qui correspond au Tibet géographique. Pour une fois que nous avons des frontières aussi faciles à définir ! Je dirai même : là où il y a la montagne sont les Tibétains. Au-delà il n'y a plus de Tibétains.

Alors combien d'habitants au Tibet aujourd'hui ?

A Lhassa on annonce 180 000 habitants et... 1 500 moines. Comme il n'y a pas plus de Tibétains dans la vieille ville qu'auparavant, les autres — 140 000 — ce sont des Hans !

Chigatsé. Montez au-dessus du monastère. Aujourd'hui, en 1987, il compte 600 moines. A gauche, la ville tibétaine dominée par le fort. Il est en ruines. Elle est en partie détruite. Entre les deux, et partout, à perte de vue, des toits de tôle ondulée, de petits immeubles. Dix fois, vingt fois la surface de la vieille ville ? Chacune de ces villes chinoises compte au bas mot 10 000 habitants. Et je ne parle pas des régions limitrophes de la Chine, occupées depuis... le début du siècle.

Je dirai que 25 millions de Chinois vivent actuellement au Tibet. Et je sais que je suis très largement au-dessous de la vérité.

D'ailleurs, la politique suivie par Pékin est : noyer les Tibétains sous le nombre et investir pour les Hans qui sont envoyés au Tibet. Ce qu'ils s'appliquent à faire efficacement, méthodiquement. Il suffit de regarder pour constater que déjà il y a plus de Chinois Hans que de Tibétains au TIBET.

Les forêts du Kham

Alexandra David-Néel, l'exploratrice française bien connue, écrivait : « Après expérience la région du Tibet que je préfère est le Kham. Ah ! les forêts du Kham. »

Depuis cette époque – vers 1930 – les choses ont tellement changé que notre célèbre dame ne reconnaîtrait pas le Kham. Voilà vingt-cinq ans que la Chine abat systématiquement les arbres, à la hache.

Où vont tous ces troncs d'arbres ? En Chine ! L'immense, l'insatiable marché chinois... Tous les Européens, les Américains, les Japonais rêvent de ce marché. Mais personne ne l'aura. La Chine se le garde. Elle a ou se donnera les moyens de son développement, à notre nez et à notre barbe. Des pans entiers de montagne ont été systématiquement coupés et les troncs jetés dans le torrent pour être acheminés le plus loin possible par voie d'eau. Ailleurs ce sont les camions chinois, d'une très grande robustesse, qui sillonnent les pistes avec ce lourd chargement.

Un chauffeur m'a raconté :

« A Lhassa il y a un bureau spécial qui nous délivre notre permis de circuler et nos bons d'essence. Le chef est un haut responsable politique qui change souvent. Pendant trois ans, j'ai ainsi transporté ces troncs jusqu'en Chine, dans les scieries ou les fabriques de meubles. Mais plusieurs fois j'ai été beaucoup plus loin, jusque dans le village du haut responsable. Et à chaque fois, mon camion était chargé d'essences rares, de ces bois durs que nous réservions à la construction des monastères : genévriers, rhododendrons. Normal puisque c'était lui qui signait les bons. »

Depuis 1985 seulement, les Tibétains ont le droit de reconstruire leurs maisons, certains monastères, quelques *shortens*. Le pays Kham devient un grand chantier. Les troncs sont équarris à la main, débités en planches épaisses par des scieurs de long qui se déplacent de chantier en chantier avec sur l'épaule leur scie interminable, les dents protégées par un bambou. Le bois s'empile dans les villages. Car il en faut rien que pour une maison ! Il est vrai que les maisons du Kham sont solides et regroupent tout sous un même toit : étables, écurie, grenier à grain, la grande pièce à vivre et souvent sur le toit-terrasse, un petit oratoire. Il en faut des arbres pour reconstruire un monastère ou un village. Mais pour alimenter la Chine, il aura fallu presque toutes les forêts du Kham.

Au milieu de toutes ces collines dénudées, une fois, une seule fois, j'ai vu une pépinière. Des pins minuscules serrés les uns contre les autres.

« Alors buvons à la santé de ces petits arbres, me dirent les Khampas en choquant bruyamment leurs verres de tchang. Les arbres ça repousse. L'essentiel c'est d'être en vie. »

Ah ! ces Tibétains, ils ont l'âme chevillée au corps !

A propos de chevilles, cela me rappelle cette légende qu'un jour Phu Thundu me racontait :

Il y a bien longtemps, sur les pentes raides de notre beau pays du Kham se nichait un petit village. Dans le village, une grande et belle maison. En bas du village, une masure. L'homme est bûcheron. Sa famille est nombreuse. Ce matin-là il s'en va dans la forêt pour couper du bois, avec l'intention de le vendre au marché voisin.

La forêt est dense, le chemin de plus en plus étroit. Et voilà que notre bûcheron aperçoit, par terre, la tête d'une vache. Il la ramasse et la prend sous son bras, se disant : « Ça fera mon déjeuner. »

Il marche longtemps et débouche enfin dans une clairière. Le soleil est déjà haut dans le ciel, l'herbe est drue, les oiseaux chantent. Un gros arbre étend ses branches noueuses, tamisant la lumière.

Notre homme se frotte les mains. « Tant de beau et bon bois qui, une fois fendu, représentera plusieurs charges. »

Toutefois, un peu fatigué de sa marche, il décide de manger d'abord. Il grimpe sur le gros arbre et s'installe à califourchon sur une branche. Une fois rassasié, il cale sous sa tête le crâne de sa vache et ne tarde pas à s'endormir. Combien de temps a passé, nul ne le sait, en tout cas pas notre homme.

Tout ce bruit qu'il y a sous lui. Il rêve bien sûr. Bavardages, rires, disputes. Non, il ne dort plus. Inquiet, il risque un œil et le referme aussitôt, effrayé. Un autre coup d'œil augmente sa crainte. Il croit sa dernière heure venue. Là dessous il a vu, eh ! oui, la clairière envahie par les démons. Notre pauvre bûcheron tremble de peur, mais il ne peut s'empêcher de regarder encore et alors ses yeux s'ouvrent grands : songez, dans cette clairière vide tout à l'heure se trouvent une longue table avec des sièges tout autour. Une cinquantaine de démons gesticulent et rient parfois si fort que les feuilles des arbres en frémissent. Et juste sous lui, là, confortablement installé sur un tapis, le roi des démons, plus formidable encore. Velu, les dents proéminentes, d'une voix de stentor il invite les autres à s'asseoir.

Alors le service commence. Seul, à une extrémité, un serviteur est debout, devant une cruche en terre.

D'abord le roi, puis tous ses invités. Ce qui se passe est si extraordinaire que notre bûcheron, sur sa branche au-dessus du roi des démons, oublie sa position bien précaire et regarde, regarde. Il faut dire qu'il y a de quoi être stupéfait. Jugez plutôt : que voulez-vous boire, manger ? Il n'y a qu'à demander. Aussitôt le serviteur se penche, plonge sa main dans la cruche en terre et en ressort un poulet fumant, du riz bien chaud, des « Tchapatis » (galettes de blé) ou du thé, du « tchang » (fermentation d'orge) ou du « rukshi » (distillation de cette fermentation), plus fort en alcool.

D'émotion, notre bûcheron se relève et le crâne de la vache glisse et tombe… juste sur la tête du roi des démons.

Effrayé, le roi pousse un cri énorme qui se répercute jusque dans le plus profond du bois. De saisissement tous se dressent et s'enfuient, affolés, à la vue de leur roi assommé de honte par un crâne de vache.

Notre bûcheron a fermé les yeux, sachant sa dernière heure venue. Le silence tombé d'un coup lui glace le dos. C'en est fait de lui. Comme le silence persiste il cligne des paupières et aperçoit la clairière désertée. seule reste la table avec les mets fumants. Il s'enhardit, descend,

72

dans l'intention de rentrer vite à la maison. Mais résister à tant de si bons plats ! Et voilà qu'au bout de la table il aperçoit la cruche. Il s'en approche et veut l'essayer comme il l'a vu faire. Plongeant la main dans la cruche vide il en ressort, ébahi, ce qu'il demandait. Même une hache toute neuve...

Alors, fou de joie, il met la cruche sous son bras et, tout courant, rentre chez lui.

Plusieurs semaines ont passé et dans sa grande et belle maison, l'homme le plus riche du village est inquiet. Est-ce vrai ce qu'on raconte ? Comment imaginer une chose pareille ? Son jeune fils vient de lui terminer, une fois de plus, cette incroyable histoire : le bûcheron le plus misérable du village, le besogneux à la trop grande famille, s'est construit une nouvelle maison, habille de neuf tous ses enfants et les envoie à l'école !

N'y tenant plus, il va rendre visite au bûcheron. Il trouve la famille attablée – et quelle table ! –, bien habillée, la mine rose et replète.

– Mon bon ami, comme je suis heureux de vous voir ainsi, dit l'homme riche en riant jaune. Tout le village en parle, mais racontez-moi donc votre aventure.

Et le bûcheron, honnête et droit, lui explique tout.

Que de nuits blanches suivirent ce récit ! Et comme la jalousie s'installe vite au cœur de l'homme ! Car lui, le premier homme du village, n'est jamais rassasié. Il veut toujours davantage d'honneurs, davantage d'argent.

Nuit après nuit, jour après jour, l'idée fait son chemin : s'emparer d'une cruche semblable, grâce à laquelle il deviendrait immensément riche.

Finalement, un beau matin, poussé par sa femme et se remémorant toute l'histoire, notre homme riche s'en va dans la forêt pour couper du bois, avec l'intention de...

La forêt est dense, le chemin de plus en plus étroit. Il n'est pas très fier car jamais il ne s'aventure si loin dans cette forêt. Et tout d'un coup, il sursaute : par terre, juste à ses pieds, la tête d'une vache.

Et tout se déroule comme le bûcheron le lui avait raconté. Et le voilà à son tour perché sur la branche du gros arbre dans la clairière. Tremblant de peur et d'un désir avide, il vise le roi des démons et lance de toutes ses forces la tête de vache.

Furieux, tous les démons se dressent. Le gigantesque roi des démons se précipite sur l'arbre, l'arrache de terre et le secoue. Hurlant de terreur, gesticulant, l'homme tombe à ses pieds, minuscule. Et c'est la curée.

Des jours, des mois, des années ont passé.

Pour vivre, la femme et les enfants de l'homme riche ont vendu leurs bijoux, puis leurs bêtes, leurs terres, leurs maisons.

Aujourd'hui, il vont frapper à la porte du bûcheron, demander un peu de nourriture. Avec un bon sourire et beaucoup de gentillesse, celui qui fut le plus pauvre bûcheron du village les accueillera toujours : sa table est grande et toujours bien garnie et sa vraie richesse est au fond de son cœur.

La maison de l'homme riche

Il y a bien longtemps...

Cette histoire pourrait se raconter comme la légende de tout à l'heure. Mais cette fois je suis dans la maison, au milieu de la famille. Ecoutez plutôt.

C'était un soir, sur la piste. Le soleil couchant dorait tout le paysage. Tout à coup, dans un virage, je me trouve en face d'une superbe maison. Toujours la même architecture tibétaine, mais plus grande. Et puis la lumière, l'équilibre des masses lui donnait un petit quelque chose d'attirant. Il fallait que j'y pénètre, malgré l'heure tardive, malgré les chiens.

Continuons comme la légende :

Il y avait une fois, tout en haut du village, un peu à l'écart sur ses terres, la maison d'un homme riche. Il avait cinq enfants, cinq garçons... L'histoire commence en 1963 lorsqu'il marie son fils aîné. Alors, selon la coutume, il lui laisse la direction du patrimoine. Deux ans plus tard, en 1965, le jeune marié décide, en vue de l'expansion de la famille, de construire une nouvelle maison, plus grande, à côté de l'ancienne. Aidé de son père, de ses quatre frères, d'un voisin qu'ils avaient aidé auparavant et de neuf serviteurs − seize personnes en tout − ils achèvent la maison en un mois. C'est la maison dans laquelle je suis. « Grande et solide comme un monastère », dira notre chauffeur.

Rapide la construction : les murs, les poutres, le toit-terrasse sont constitués de troncs d'arbres équarris. Le plancher du premier étage est en bois, celui des étables et du toit-terrasse en terre battue. Un escalier pour monter au premier. Un tronc entaillé pour accéder à la terrasse. Et le foyer. Voilà pour les finitions. Pas d'électricité, d'eau courante, de chauffage central ou de papier peint. Même dans la maison d'une famille riche, on vit à la dure.

A cette époque − 1965 − le rez-de-chaussée abritait, dans un véritable dédale d'étables, 120 yacks, une trentaine de chevaux et près de 400 chèvres et moutons. Seules quelques grosses familles du village possédaient un tel troupeau. Les serviteurs, les familles pauvres, avaient un maigre cheptel ou rien du tout.

A l'étage l'immense salle commune, une pièce réserve de viande, une autre réserve de bouses de yack − principal combustible −, une autre pour les vêtements, une autre pour conserver le lait, le beurre et le fromage. Et tout au bout, une petite pièce avec deux trous dans le plancher : les toilettes.

Sur le toit-terrasse une grande avancée couverte pour dormir les belles nuits d'été, l'accès à la grange qui occupe toute la hauteur de la maison sur deux étages, mais aussi le petit oratoire richement peint, tendu de brocarts, de tankas − peintures sur soie −, garni de nombreuses statuettes en bronze ou plaquées d'or, de tambours pendus au plafond et de piles de coussins qui accueilleront les moines régulièrement invités à venir prier pour protéger la famille, les troupeaux et les récoltes. De nombreux drapeaux de prières flottaient sur le toit d'où l'on découvre une vue magnifique sur toute la vallée et le village épars à ses pieds.

Mais, en 1966, la légende devient dure réalité. Les Gardes Rouges arrivent, vengeurs, brutaux. Ils rentrent dans cette belle maison toute neuve et rassemblent la famille et le personnel. « Prenez cela », et ils distribuent aux serviteurs éberlués et effrayés tous les vêtements trouvés dans la maison, ne laissant à la famille que les habits qu'ils avaient sur le dos ce jour-là. Puis ils renvoient au village les employés avec tous les animaux.

Alors ils coupent les tresses des hommes, ces belles et longues tresses si caractéristiques, encore rallongées par des fils de coton rouge qui font la distinction des hommes du Kham (Photo 24). Ils leur arrachent encore les boucles d'oreilles dont ils sont si fiers et aux femmes leurs nombreux colliers, bracelets et bagues. Ils jettent tout cela dans le torrent. Ils vident la petite salle de prières de tout le « fatras de bondieuseries » gardant quelques belles statues, quelques beaux bijoux qui s'ajouteront aux trésors du monastère du village et seront plus tard emportés à Pékin. Dernière mesure discriminatoire : les enfants se voient interdire l'accès à l'école.

Les voilà ruinés, surveillés, interdits de quitter le village, réduits à leurs seules forces.

Ce n'est qu'en 1981, quinze ans après, que la « punition » envers les riches sera levée. Mais ils n'ont toujours pas laissé repousser leurs tresses, ils n'envoient toujours pas leurs enfants à l'école. Ils ont peur car ils disent : « Il ne faut pas croire la parole d'un Chinois ».

Polyandrie

Ce qui sauva la famille, ce contre quoi les Chinois ne peuvent rien, c'est la tradition.

Ainsi, lorsqu'en 1963 le fils aîné s'est marié, la jeune femme a aussi épousé... les quatre frères !

C'est la polyandrie dont l'unique raison est de permettre la survie dans ces régions très dures. La polyandrie évite le partage des terres entre les enfants, l'aîné étant seul héritier. La polyandrie limite les naissances, donc les bouches à nourrir.

Mais comment s'organise la vie familiale ?

Le chef, c'est la mère. C'est le matriarcat sans lequel la vie deviendrait vite infernale. Puis le mari le plus âgé. Par respect pour sa position d'aîné les enfants — elle a neuf enfants, cinq filles et quatre garçons — l'appellent tous « père ». Ils appellent les autres « oncle ». Mais chacun sait parfaitement qui est son véritable père.

« Et puis cinq maris, me dit l'épouse avec un sourire malicieux, c'est bien utile, surtout par les temps très durs que nous venons de traverser. Ils ont dû s'atteler à l'araire pour remplacer les yacks et labourer les champs. Et maintenant chacun retrouve sa place traditionnelle. J'en ai deux « spécialisés » dans la culture. Ils savent à quelle époque il faut labourer, semer, récolter. Un autre mène paître le maigre troupeau que nous avons pu reconstituer. Il connaît les bons pâturages, l'époque de l'agnelage, il soigne mieux que personne un yack malade et est très adroit pour lui tondre son poil. J'en ai un aussi qui n'a pas son pareil pour le commerce. Il part des mois à travers le pays. Mais les lieux de marché ont changé. Songez que nous étions à un endroit privilégié, à mi-chemin entre Lhassa et Dartsédo, les deux plus grands marchés du Tibet. »

L'histoire ne vous dira pas lequel des cinq frères la mère préfère. Lequel a été si amoureux d'elle qu'il lui a fait épouser les quatre autres. A moins que la dot à elle seule fut un appât suffisant...

Détail intime. La nuit il fait si froid et si noir dans la maison qu'au lieu d'aller jusqu'aux toilettes chaque père à son pot − en fait une boîte de conserves −. Celui qui le matin va les vider montre ainsi son désir de passer la nuit suivante avec la mère... Si elle accepte... car en fin de compte c'est elle qui dirige le jeu. Sinon elle dormira avec ses enfants les plus jeunes, renvoyant les mâles dans leur coin !

Pourquoi cette loi si dure ? Depuis la révolution culturelle, le brassage, la piste, les villes nouvelles et les nouvelles idées, quelques jeunes refusent cette tradition et « s'enfuient » à Lhassa.

Ils disent : « Cette coutume, c'est seulement pour s'enrichir, conquérir les honneurs et la considération. »

Mais les familles riches ainsi éprouvées m'ont dit : « En interdisant à nos enfants l'accès des écoles, les Chinois nous renforcent dans cette tradition. Pour nous, la polyandrie, ce fut notre survie. »

− Alors maintenant, c'est de nouveau comme avant ? Je demande à l'assemblée des cinq maris.

− Comment pouvez-vous dire cela, me répond le plus âgé. Aujourd'hui c'est la terre, avant c'était le ciel.

Comprenez : nous sommes dans les ténèbres, avant dans la lumière.

− C'est vrai, poursuit-il. Jusqu'en 1981, nous n'étions plus rien. Ramenés à l'état de bête, bons à atteler à la charrue. Nous ne pouvions rien faire, rien dire, ne rien posséder, ne pas prier... Aujourd'hui, notre sort s'est un peu amélioré.

− Ce que nous attendons, conclut l'épouse en se raclant la gorge, c'est le retour du Dalaï-Lama et que la vie reprenne comme « avant ».

Pèlerins du toit du monde

Nous nous rapprochons de Dartsédo, cet ancien grand marché. La piste monte, descend, tourne et vire à souhait, dans un paysage toujours grandiose et terriblement poussiéreux. La jeep soulève un nuage de poussière sur trois étages de hauteur, nuage visible encore plusieurs kilomètres après notre passage. Nous roulons assez lentement. Il n'y a aucune circulation. Heureusement, car doubler ou croiser est tout un sport rendu encore plus délicat par le petit jeu du chauffeur : essayer au maximum d'obliger l'autre à se garer. Car l'autre, c'est forcément un Chinois ! La conduite devient politique...

— Freine ! Arrête. Mon Dieu, comment ne les avons-nous pas écrasés, masqués par la poussière.

Arrêt. Photo. Attends. Trois mots que le chauffeur a vite appris ! Il lui arrive parfois de s'arrêter de lui-même et avec un grand sourire de me dire « photo » ! Mais cette fois...

Ce sont deux hommes qui se prosternent sur la piste. C'est incroyable. Que font-ils ici ?

Après que Dorjee et Tsiring les aient questionnés, l'histoire étonnante de ces deux hommes m'apparaît dans son invraisemblable simplicité. Pourtant des pèlerins qui se prosternent j'en ai vus des quantités à Lhassa, à Chigatsé, devant l'entrée des temples principaux ou faisant le tour des cités monastiques, ce qui représente des kilomètres, des jours ou des semaines de prosternations.

Mais ici, aussi loin de tout, perdus sur cette piste dans l'immensité des hautes terres, que font-ils, où vont-ils ?

Je me rappelle un matin de bonne heure avoir vu une très vieille femme se prosterner ainsi, le long d'un bras du Brahmapoutre, en vue du Potala. Elle était si vieille et si ratatinée qu'elle avait du mal à plier les genoux, à s'allonger par terre, à se relever.

Mais ceux-ci, quel rythme, quelle cadence. Tous les trois pas, se prosternant de tout leur corps sur le sol, frappant la terre de leur front et se relevant (photos 36, 37, 38).

Et quel accoutrement ! Les mains enfoncées dans des patins de bois recouverts d'une semelle de fer, tout le corps recouvert d'un grand tablier de cuir qui les protège jusqu'aux chevilles. Le tout gris de poussière. Les cheveux, les cils, les rides du visage.

— Dorjee, quel âge ont-ils ?

— Le plus âgé, 45 ans, l'autre 22 ans. Regarde ce qu'il fait, Gilbert.

En se prosternant, ils s'étaient rapprochés d'une petite charrette à bras. Le plus âgé s'assied tout en murmurant ses prières — j'ai oublié de vous dire que tout en faisant leur gymnastique à un rythme accéléré, ils prient —, pendant que le plus jeune se saisit des deux brancards de la charrette, la pousse en courant sur 500 mètres, revient au pas de course rejoindre son compagnon et refait tout le chemin en se prosternant.

— Dorjee, d'où viennent-ils ? — D'un petit village, près de Dartsédo.

— Depuis combien de temps sont-ils partis ? Ah les calendriers : compter sur ses doigts...

— Cela fait trois mois et quatre jours, Gilbert.

— Et où vont-ils ? Je n'ose écouter la réponse, tellement je l'imagine et la redoute.

— A Lhassa.

J'en viens, en jeep. Je regarde le compteur, vérifie mes notes. Ils en sont à... 1 557 kilomètres. Oui, vous avez bien lu, 1 557 kilomètres.

A ce rythme-là, ils arriveront à Lhassa dans... 17 mois. Et quel rythme, quelle piste, que de cols, de neige, de poussière, de chaleur, de froid ! Ils ont déjà parcouru 286 km. Vingt mois de voyage, 1 843 kilomètres en se prosternant tous les trois pas.

— Mais pourquoi, Dorjee, pourquoi ?

— Ils font ça pour eux, pour acquérir des mérites et améliorer leur vie future. C'est leur façon à eux d'exprimer leur foi, maintenant qu'ils en ont le droit.

Quelle leçon d'humilité.

Nous avions aussi de tels pèlerins qui, à travers l'Europe se rendaient à Saint-Jacques-de-Compostelle, à Jérusalem. Nous avions...

Pour les Chinois aussi il est difficile de comprendre ce genre de pratique. Ils méprisent ces montagnards qui se traînent ainsi par terre.

Dartsedo

Enfin Dartsédo. Derrière, en bas, c'est la plaine de Chine. Un autre univers où j'ai encore tant à découvrir. Nous dégringolons littéralement pour arriver à Dartsédo, enserré dans une vallée étroite entourée de montagnes. La ville toute en longueur est coupée sur toute sa longueur par un torrent.

A la charnière du Tibet et de la Chine, Dartsédo était le point ultime pour les voyageurs ou les explorateurs venant de Chine. Le Tibet leur était interdit.

Témoin Alexandra David-Néel qui, fuyant la Chine en guerre, s'y retrouve « prisonnière pendant six ans », ne pouvant ni retourner en Chine, ni poursuivre sur le Tibet interdit. Elle y séjournera de 1938 à 1944 en compagnie de l'évêque catholique, de quelques religieuses, de pasteurs écossais et d'un médecin américain.

L'histoire de Dartsédo, sur les premières marches tibétaines, est bien mouvementée : guerre civile, guerre sino-japonaise, à nouveau guerre civile puis, comme partout en Chine, cette terrible révolution culturelle.

Pas étonnant qu'aujourd'hui Dartsédo ne soit qu'un vaste chantier, comme toute la Chine d'ailleurs, et que partout pointent les tiges en fer du béton armé.

A voir les dernières vieilles ruelles bordées de maisons de bois, le dernier fronton à la grecque, le dernier bâtiment du grand séminaire aux planchers cirés, on imagine facilement l'aspect cosmopolite de la ville. Mais sa véritable couleur, c'était le marché.

De la montagne arrivaient les caravanes de yacks conduites par ces grands gaillards de tibétains, avec leurs longues tresses colorées et leurs chapeaux démesurés rendus encore plus corpulents par leurs vastes habits de peaux. De la plaine de petits coolies à moitié nus, leur natte unique battant les reins, marchaient à ce pas cadencé très particulier donné par l'oscillation du balancier. Un seul produit arrivait de Chine : le thé. La feuille de thé, séchée entière, était ensuite compactée sous forme de briques et pouvait ainsi se transporter facilement et se conserver indéfiniment.

Ce sont ces mêmes briques de thé que l'on trouve toujours aujourd'hui à travers tout le Tibet et aussi par-delà l'Himalaya au Népal, au Ladakh, au Zanskar et en Inde dans tous les centres de réfugiés tibétains. Aujourd'hui il n'y a plus de Tibétains à Dartsédo, ni de missionnaires, ni d'explorateurs. Il n'y a plus que des Chinois. Les camions chargés de thé traversent sans s'arrêter. Le marché si coloré est remplacé par un supermarché.

Seul le monastère résiste ! Construit vers 1650, à l'époque du cinquième Dalaï-Lama, il fut entièrement vidé à la révolution culturelle. Livres, statues, peintures, tout fut jeté pêle-mêle dans le torrent et le monastère transformé en hôtel. Depuis 1983, il est en cours de restauration. Seule la multitude de ses petits toits recourbés aux tuiles vernissées est terminée. Un bel exemple de style chinois. Mais pas de moines, ni de pèlerins.

La vallée sauvage

Nous regagnons Lhassa en passant par la Vallée Sauvage.

Splendide !

Cette ancienne piste n'est plus guère empruntée et son entretien en partie abandonné. Et tout de suite, la piste devient mauvaise, étroite. Elle monte sans arrêt, au début à travers un défilé aux pentes couvertes de sapins. Mais très vite le paysage se dénude, devient aride, sauvage. Nous montons toujours. Les cols se succèdent. Je crois que pendant deux jours il n'y a pas eu une ligne droite.

Magnifique.

Mais chaque nouveau col est une énigme. Le froid est de plus en plus vif, la neige fait son apparition et le ciel en est chargé. Il faut passer le dernier col, le plus haut – presque 5 500 mètres – avant qu'elle ne tombe. La piste est de plus en plus mauvaise. Déjà deux fois nous sommes restés bloqués. Il a fallu sortir la pelle, le câble. Les 6 cylindres du véhicule, les 4 roues motrices n'ont pas suffi. Nous « faisons la trace » et c'est une attention de tous les instants. Maintenant le tapis de neige est si épais qu'il cache tous les obstacles de la piste. La pente est très raide, mais le col se rapproche.

Lorsqu'enfin nous arrivons, le ciel est si bas qu'il me semble qu'il nous touche. Mais nous passons le col. Quelle chance car le temps se détraque et il neige par intermittence. Bien que dangereuse la descente est moins raide, moins longue. Nous abordons la vallée sauvage. Au loin deux cavaliers poussent une quinzaine de yacks qu'ils se dépêchent de rentrer (photo 34). Il a neigé cette nuit, abondamment. Il neige encore ce matin. Le paysage est tout blanc, parsemé de quelques taches noires, des yacks... et nous, perdus dans cet univers sans repères. Continuer devient très difficile mais s'arrêter est encore plus dangereux.

Nous roulons à 10 km/heure lorsque tout-à-coup, crac, tout s'effondre. Nous traversions un torrent gelé, roulant sur la glace qui a cassé net sous les roues de la voiture. Et nous voilà posés sur les essieux. Nous sortons la pioche pour casser la glace et le chauffeur et moi, à tour de rôle, essayons de sortir la voiture pendant que les autres poussent. Mais les pneus n'ont aucune prise sur cette surface lisse. Nous avons nous-même peine à tenir. Et voilà qu'un coup de vent subit nous fait tressaillir. Aussitôt la tempête se lève. La neige nous fouette, férocement. Un froid insupportable nous fait nous précipiter dans la voiture. La situation devient alarmante. Il faut agir vite car la tempête peut durer. Malgré les moufles et la veste en duvet, malgré l'effort que nous déployons, nous sommes gelés. Mais à force de se battre, de taper, de pousser, de casser, de « faire le balancier » avec la jeep, en avant, en arrière et encore, et toujours... Enfin, après quarante minutes d'efforts, la jeep jaillit de son trou. La tempête souffle toujours et nous ne voyons pas à plus de quinze mètres.

Fantomatique, un point noir grossit : une maison. Nous nous arrêtons pour nous réchauffer. C'est une vraie maison forteresse, capable de supporter des tempêtes bien plus terribles encore. Ils vivent là-haut, seuls. Les voisins sont à trois ou quatre heures de cheval. Ils vivent en autarcie totale.

— Ici, nous sommes tranquilles, me disent-ils. Nous n'avons vu qu'une seule fois des Chinois !

Toute la nuit, la tempête a soufflé. Lorsqu'au matin la paix revient sur la vallée sauvage, j'entends vivre la maison. Sous notre plancher, le cheptel. A côté de nous, au chaud près du foyer, un veau, quelques chevrettes et deux chiens. Autour de nous, la famille.

Pendant qu'un homme s'active à ranimer les flammes tout en marmonnant ses prières, la mère reste « au lit » avec ses deux plus jeunes, nus, collés à elle. Sales à souhait. J'ai l'impression qu'ainsi bien au chaud ils ronronnent comme des petits chats.

Ces gens rustres, habillés des peaux de leurs bêtes, sentant le suint et la fumée, noirs comme des charbonniers et qui nous ont accueillis comme s'ils nous avaient toujours attendus, m'ont tenu d'étranges propos.

« Regardez, le Bon Dieu vient d'ouvrir sa fenêtre. »

C'est vrai. Les nuages se déchirent et au travers un peu de ciel bleu apparaît.

« Restez encore un peu. La montagne va bientôt changer de couleur. Elle va devenir ocre, puis rouge, enfin orangé. Lorsque pointeront quelques taches de vert tendre nous sortirons les troupeaux. Et quand la vallée prendra une belle teinte jaune safran, nous planterons la tente près des sommets. »

Ah ! la vallée sauvage.

Étonnant.

L'Or est le métal le plus pur, le plus précieux, le plus brillant.

C'est pour cela que les toitures qui protégeaient les divinités des plus célèbres temples du Tibet étaient recouvertes de feuilles d'or.

C'est pour cela que les deux gazelles et la roue de la loi, fixées au bord du toit terrasse au-dessus de la porte d'entrée de toutes les salles de prière de tout le Tibet, étaient plaquées d'or.

C'est pour cela que des centaines de milliers de statues et de statuettes de divinités du panthéon bouddhique étaient recouvertes d'or.

De l'Or pour les Dieux.

Tibet des Dieux

41

42

43

pour la première fois depuis 20 ans les prières du Monlam au Djokang

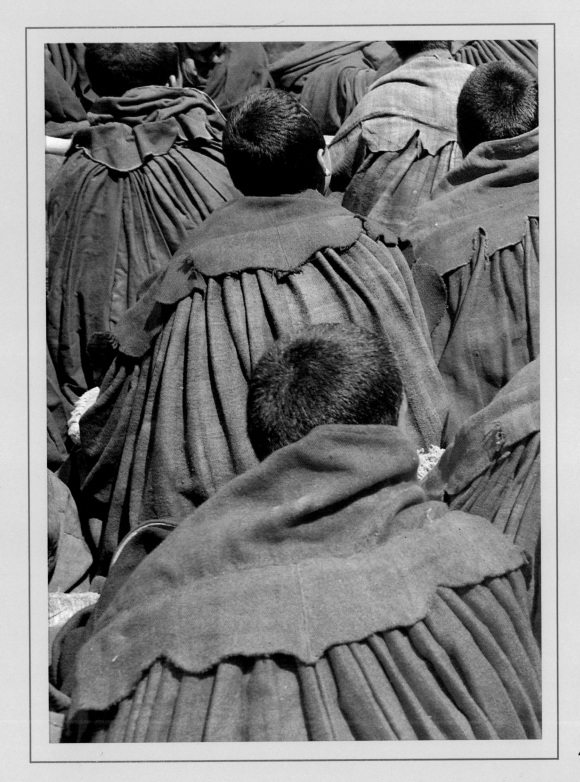

44

45

... monastère de Rongbuck face à l'Everest

46

Dorjee contemple le monastère de Tashilumpo à Chigatsé

48

sur les toits du Djokang à Lhassa

49

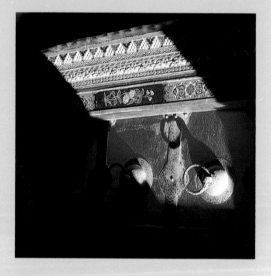

50

51

à une courte distance à l'ouest du Djokang, le Potala

52

les conques rythment les prières du Monlam

53

pendant les fêtes, les pèlerins se bousculent à l'entrée du Potala

54

55

les fresques du Norbulinga retracent l'histoire de Lhassa et des Dalaï Lama

56

57

le Potala sur son rocher — 58 →

59

que ce soit dans le Shorten de Gyantse

ou sur les terrasses du Djokang, les fresques témoignent de 2 500 ans de foi bouddhique

61

Ganden, patrimoine de l'humanité

63

« l'essentiel est la continuité de la culture tibétaine »

64

malgré les idoles éventrées (ici entreposées au Norbulinga)

65

... et les monastères détruits (la Cité monastique de Drépung)

66

le monastère imprimerie de Dergué, dans le Kham

Yongbulakang, le palais du premier roi du Tibet

toiture d'or du Djokang

69

une des écoles du monastère de Séra

70

71

72

le Djokang, coeur du Tibet

73

gardien des 4 Horizons, au monastère de Séra

74

Djokang. Le lion des Neiges

75

LES TOITURES D'OR DU TOIT DU MONDE

Lhassa, un témoin me raconte

« Le 8e jour après le Lossar — le nouvel an tibétain — , déguisé, le Dalaï-Lama disparaît (17 mars 1959). Le 11e jour, vers 3 heures de l'après-midi, l'armée chinoise dirige le tir de ses canons sur le Norbulinga, le palais d'été du Dalaï-Lama, pensant « le » surprendre et « le » faire prisonnier. Mais il n'y a plus personne. Alors ils dirigent leurs canons sur le Potala, siège du gouvernement du Tibet, qui regorge de richesses accumulées au cours des siècles.

« Une fois la porte défoncée, les défenseurs submergés, l'armée chinoise grimpe dans cette ville construite sur un rocher. Mais tous ces efforts, ces morts, ces blessés pour rien : le Dalaï-Lama reste introuvable. Peut-être s'est-il réfugié à Chokpuri, la Faculté de Médecine, construite sur la montagne de fer, juste en face du Potala ? En un rien de temps, la colline est investie, le monastère-hôpital envahi, saccagé mais… personne.

« Reste le saint des saints, le Djokang — immense salle de réunion — à une courte distance du Potala, au centre même de la ville. Certainement, pense l'armée, c'est au milieu de son peuple, entouré de nombreux moines, qu'« il » se sent le mieux protégé.

« Nous sommes le 15e jour après le nouvel an, soit une semaine après la fuite du Dalaï-Lama », me précise ce chroniqueur très informé qui tient à garder l'anonymat.

Après cinq jours de batailles et de recherches vaines, furieuse, l'armée chinoise réalise enfin qu'« il » a quitté Lhassa. Mais pour où ? de son côté, le peuple tibétain n'est pas plus informé. Nul ne sait ce qu'est devenue Sa Sainteté. En dehors d'un petit noyau proche du gouvernement, ce n'est que beaucoup plus tard, parfois après plusieurs années, que le peuple du Tibet apprendra que

114

Sa Sainteté Ichi Norbu Tenzing Gyatso, quatorzième Dalaï-Lama, s'est réfugiée en Inde.

« A Lhassa, continue ce témoin, l'armée emprisonne à tour de bras et interroge sans relâche. Alors le joug chinois remplace l'impérialisme tibétain, les lois chinoises les livres saints. »

La violence, la peur, le malheur s'abattent sur le Tibet. Passant du servage à la pauvreté, de l'esclavage à la cruauté, à la famine, à la mort, le Tibet va vivre toutes les étapes de la folie des dirigeants chinois. Le degré de désespoir est atteint avec la révolution culturelle.

Les années sombres

1965 – A travers toute la plaine de Chine, mais aussi en Mongolie, au Turkestan, dans toutes les minorités de même qu'au Tibet, des enfants de Chine, des adolescents, un foulard rouge autour du cou – le même que celui des Scouts aux États-Unis – sont lancés pour détruire. Tout, partout. Pouvoir tout faire, avec la bénédiction de ses pairs ! Alors il n'y a plus de règles établies et un véritable vent de folie s'empare de ces troupes irresponsables qui tuent en riant, tapent sur les vieux – « leurs » vieux – pour les obliger à brûler eux-mêmes leurs livres, leurs richesses, leur religion, à détruire leurs autels, leurs édifices religieux, leurs villages.

Cette destruction systématique de la culture et des personnes qui détenaient cette culture a été à deux doigts de faire rendre l'âme à la Chine toute entière. Les artères coupées, le cerveau vidé, le corps titubait et la Chine vacillait.

1976 – Mort de Mao.

Il faudra attendre trois ans après la mort de celui que les Tibétains ont surnommé « Montachi » – ce qui veut dire premier ministre – ou encore comme dans une de leurs chansons, « l'Assassin », pour qu'un certain assouplissement se fasse sentir

Pendant ces quinze années terribles – 1965-1979 – le Tibet est devenu un vaste camp de concentration. Sa population a dû changer d'habits, changer de maison, changer de région. Tous les Tibétains ont souffert de sous-alimentation, certains ont été stérilisés, aucun n'avait le droit de prier. Pendant des années, ils ont dû casser des cailloux pour construire les casernes, les usines et tailler les plus hautes pistes du monde. De nombreux enfants tibétains ont été envoyés en Chine et les autres ont dû apprendre le chinois à la place de leur langue.

L'Histoire jugera très durement ces quelques années dont Mao Zedong, leur « grand timonier », fut l'instigateur.

Rassemblant ses dernières forces, dans un sursaut de vie, la Chine réagit. Nous vivons une véritable seconde révolution, menée par Deng Xiaoping. Et cette fois, pour la plus grande gloire de la Chine…

Cependant, au Tibet...

Sauver la face

A cause du Dalaï-Lama et des réfugiés tibétains qui ont alerté l'opinion mondiale, à cause de la volonté sans limite des Tibétains « chinois » à vouloir rester tibétains, la Chine a dû changer sa politique au Tibet, pour sauver la face vis-à-vis du monde extérieur.

« Alors, me raconte mon interlocuteur lhasséen, il a fallu vite réparer, nettoyer ou raser pour accueillir les premiers journalistes étrangers, très encadrés, venus du monde entier. C'était en 1979.

« Je les ai vus, de même que les émeutes provoquées par l'arrivée, en 1980, de la première délégation du gouvernement du Tibet en exil.

« En 1983 a commencé la reconstruction de Lhassa et alors les autorités sont devenues fébriles : 43 grands projets devaient être inaugurés en été 1985, au moment des fêtes organisées pour le 20ᵉ anniversaire de la « Libération de la Région Autonome du Tibet ». C'est comme cela qu'« ils » appellent officiellement notre pays, après avoir réduit son territoire comme une peau de chagrin. »

Parmi ces projets : construction de grands hôtels – plusieurs, dont celui de Lhassa, furent refermés le lendemain de leur inauguration pour être terminés –, de stades, de théâtres, d'hôpitaux, la place devant le Djokang et tous les petits immeubles autour.

« Une façade. Tout cela n'est qu'une façade. Ils nous donnent des miettes, mais nous n'avons aucun droit. Tout est réservé aux Hans. Pour eux tous nous ne sommes que des barbares. »

Les fêtes du Monlam

Lhassa. Février 1986 – Pour la première fois depuis 1965 fut rétabli ce festival, annuel auparavant. Le Monlam va durer huit jours (photo 52.) C'est, selon la définition même du Dalaï-Lama, l'époque pendant laquelle « des milliers de moines affluent en ville pour participer à cette célébration particulière de prières ». Ce festival durait alors 28 jours. « Quel spectacle c'était, m'a raconté une vieille femme de Lhassa. 20 000 moines venaient s'installer dans les grandes propriétés appartenant à leurs différents monastère, ou en ville chez des parents ou des amis. C'était la fête. »

J'imagine facilement, à voir l'animation d'aujourd'hui (photo 43). Pour ce premier Monlam autorisé depuis vingt ans, les autorités sont un peu débordées. Non par le nombre de moines – ils sont en tout 1 500 –, mais par l'affluence des pèlerins, venus en camion, en bus ou à pied des plus lointaines contrées du Tibet, ils ont accumulé vingt années de prières qu'ils n'avaient pas le droit de réciter, de monastères qu'il leur était interdit de visiter (photo 53), de divinités devant lesquelles ils ne pouvaient se prosterner.

Ainsi, pendant que les moines rassemblés dans les immenses salles de réunion du Djokang retrouvent le rythme des prières d'antan (photos 44, 45), des files de pèlerins parcourent le dédale des vastes ensembles monastiques qui affichent pendant ces huit jours « Opération portes ouvertes ».

108 petites tresses maintenues harmonieusement par un ruban lui recouvrent les épaules. Une tchuba noire tissée en poils de yack, bordée d'une peau de léopard large comme la main, doublée d'une peau de mouton, l'habille jusqu'aux chevilles.

108 petites tresses pareillement disposées sur six têtes. Six tchubas absolument semblables parcourent les salles de prières. Six regards montent le long des 192 piliers de bois qui soutiennent la plus grande salle de réunion du monastère de Drepung. Six paires d'yeux scrutent dans la pénombre le visage de la statue de Tsongkapa, le fondateur.

Ces 648 petites tresses encadrent six profils identiques — ceux de la grand-mère (photo 29), de sa fille, de ses quatre petites-filles — aux mêmes yeux couleur noisette, au même visage sérieux devant les dieux, au même sourire lorsque nous nous croisons. Ils viennent du lointain Amdo avec le grand-père, le père et les deux fils. Ils font partie d'un groupe de villageois qui ont affrêté un camion pour venir à cette occasion. Sept jours de voyage, abrités sous les bâches du vent des hautes terres. Six nuits à dormir dehors, à repartir dans le grand froid du petit matin.

Lhassa, c'est l'ivresse du merveilleux pour tous ces êtres qui ne côtoient que le vent.

Alors pourquoi briser ce charme ?

Sourires contre parechocs

Le dernier soir du Monlam, c'est l'apothéose.

Les moines ont préparé d'immenses tableaux en pâte de beurre de toutes les couleurs, représentant les mystères de leur religion — vie des saints, mandalas — . Le soir, les moines exposent sur le mur extérieur du Djokang toutes ces réalisations éphémères. Et toute la nuit ce sera la liesse populaire.

Tout du moins devrait-il en être ainsi.

Mais, vers 6 heures du soir... des camions de l'armée prennent position pour fermer les ruelles d'accès au Djokang, des bus sont disposés en chicane pour contrôler le mouvement des rues adjacentes et une véritable armada de soldats envahit la place... pour la vider de tous ses occupants. Raison officielle, le Panchen-Lama, la plus grande réincarnation présente au Tibet depuis la fuite du Dalaï-Lama, fait à pied le tour du Parkor, le chemin de pèlerinage qui fait le tour du Djokang et tient lieu aussi de marché. Toutes les échoppes sont fermées, la ruelle d'habitude très animée est totalement vide. Seul, entouré de quelques dignitaires et protégé par l'armée, le Panchen-Lama... Raison officieuse, c'est l'occasion combien flagrante de bien montrer qui est le maître ici.

Le Parkor est désert, la grande place est déserte. Seuls quelques moines s'affairent à fixer leurs décorations en beurre. La foule — des dizaines de milliers de pèlerins et quelques Lhasséens — est contenue à l'extérieur. Vers 8 heures, les officiels tibétains, chinois et les rares étrangers sont autorisés à pénétrer sur la place, à écouter les chants, les prières, la musique des moines, à admirer le décor, sous les projecteurs de la T.T.V., la télévision tibétaine. Car la cérémonie est transmise en direct sur Lhassa, retransmise en Chine et au-delà des frontières...

Pendant ce temps, la foule des croyants est toujours retenue à l'extérieur alors que toute cette cérémonie s'adresse avant tout à elle. Les ruelles sont toujours bloquées par les camions militaires. Chaque chicane est fermée par deux motos militaires avec side-car. Derrière ces chicanes la rue est vide. Sur les trottoirs, la foule est parquée, obligée de se serrer, de s'écraser en se plaquant contre les maisons : la roue dans le ruisseau, une jeep de l'armée fait inlassablement l'aller et le retour, repoussant cette marée humaine. Et eux rient, comme si c'était un jeu. Tout d'un coup, la jeep s'arrête. Ils en profitent pour se précipiter sur le trottoir d'en face, se rapprocher de la chicane, forcer le barrage. Une bonne centaine y réussit. Mais une vingtaine de soldats, matraque électrique à la main, tape tandis que les deux autres motos avec side-car se mettent en route et foncent sur la foule, faisant reculer ce troupeau humain comme le ferait un chien de berger avec ses moutons.

Un peu comme les vastes mouvements de la cape du toréador, la foule ondule, recule, avance et à la moindre brèche s'engouffre. Défaite militaire. Deuxième round. Troisième et toujours et encore jusqu'à ce que, débordée par le nombre, l'armée perde patience, perde pied et perde la face. Apparemment. Car ce petit jeu a duré jusqu'à 10 heures du soir, le temps nécessaire pour que les moines aient terminé leurs prières, que les officiels soient repartis et que la T.T.V. ait éteint ses éclairages... Quel regard, quel dédain ont ces Hans en face de cette populace sale, cette valetaille nauséabonde. L'armée joue avec ces Tibétains qu'elle méprise. Elle les chasse d'un côté, les pousse de l'autre puis d'un coup les laisse tous entrer, les regardant se bousculer, tomber, se piétiner... Pour elle, ces Tibétains ne valent pas plus que des moutons qu'ils sont puisqu'ils en portent déjà la peau.

Mais eux s'en moquent. Toutes ces brimades n'empêchent pas de vivre. Ils sont venus pour voir. Cela fait vingt ans qu'ils attendent. Alors deux ou trois heures de plus...

De nuit, quel décor fabuleux, mythique, mystique, mystérieux. La grande porte d'entrée du Djokang, toutes les bannières qui pendent du toit, les moines, la musique, la couleur, l'odeur. Et ce défilé interminable de gens, les yeux écarquillés, émerveillés.

La vallée de Lhassa — Histoire et légende

L'histoire du Tibet se perd dans la légende. La légende de Lhassa est contée sur des fresques peintes dans le palais d'été du Dalaï-Lama (photos 54, 55, 56, 57). Avant, nous montre la première fresque, la vallée était couverte par un lac et des marécages. Les peintures suivantes expliquent que ce lac fut progressivement recouvert d'un quadrillage de troncs d'arbres sur lesquels fut construit un *shorten.*

En l'an 650 après Jésus-Christ, le roi Tsong Sen Gampo a fait assécher puis combler ce lac pour édifier Lhassa, expression de la Foi des Tibétains. Tout d'abord le Djokang, immense salle d'assemblée entourée d'une multitude de chapelles. Autour du Djokang s'est construite la ville de Lhassa.

A une courte distance à l'ouest de la ville — 1,5 km — le Potala, sur son rocher (photo 58). Face au Potala, sur un autre piton rocheux à la place de Chokpuri — le monastère faculté de médecine entièrement rasé — se dresse aujourd'hui l'émetteur de télévision.

A 1,4 km à l'ouest du Potala un très long mur blanc. A l'intérieur plusieurs petits palais. Ce sont les résidences d'été des Dalaï-Lamas successifs, le Norbulinga.

Toujours plus à l'ouest, à 4 km du Norbulinga, la cité monastique de Drepung et le petit monastère de Netchung où résidait l'Oracle d'État.

Au nord du Djokang, à 3 km, juste au pied de la montagne qui ferme la vallée de ce côté, une autre cité monastique : Sera (photo 69.)

Le sud de la vallée est délimitée par le Yarlung Tsampo, un bras du Brahmapoutre qui va se jeter dans le Delta du Gange, puis dans le Golfe du Bengale. Pour traverser le Yarlung Tsampo, encore aujourd'hui les habitants montent dans de petites barques en peaux de yacks tendues sur des baguettes de saule (photo 31). C'est aussi dans le Yarlung Tsampo que les Lhasséennes et les Lhasséens aimaient se baigner, certains chauds dimanches d'été au cours de joyeux pique-niques animés et bruyants. C'est encore dans ce fleuve que, seulement au printemps, sont pêchés — puis mangés — des poissons.

Aujourd'hui les jardins, les champs ou les marécages qui s'étendaient entre la ville, le Potala, le Norbulinga et les cités monastiques sont entièrement occupés par des immeubles, des usines, des ateliers, des prisons… et aussi par la banque comme l'indique la plaque de cuivre à l'entrée : « Banque de Chine. Lhassa. Chine ».

Un peu en dehors de la vallée, à 45 km à l'est de Lhassa, dominant de 900 mètres la vallée du yarlung Tsampo, la ville monastique de Ganden. Qui mieux que les habitants pourraient nous parler de ces sites ou ces monuments. Et qui mieux que le plus prestigieux de ses hôtes pourrait nous décrire le Potala ou le Norbulinga, sinon Sa Sainteté le Dalaï-Lama.

Le Potala

Extrait de « Le Dalaï-Lama – Mon pays et mon peuple », pp. 42-43-44. Publié avec l'aimable autorisation des Éditions Olizane.

« Le Potala me rendait fier de notre héritage de culture et de créativité. On raconte qu'il est un des plus grands bâtiments du monde. Même après des années de séjour, il était impossible d'en connaître tous les recoins. Il recouvre complètement le sommet d'une colline jusqu'à former une cité en soi. Un roi du Tibet le fonda, il y a 1 300 ans de cela, comme pavillon de méditation ; le cinquième Dalaï-Lama le fit considérablement agrandir au XVIIᵉ siècle de l'ère chrétienne. Sur ses ordres, on construisit la partie centrale de l'ensemble actuel, haut de treize étages, mais sa mort survint alors que seuls deux étages avaient été achevés. Sentant sa fin approcher, il avait demandé à son Premier Ministre de garder sa mort secrète, de peur qu'à l'annonce de la nouvelle, la construction ne s'arrêtât. Le Premier ministre dénicha un moine ressemblant au Lama et parvint ainsi à occulter cette mort treize ans durant jusqu'à l'accomplissement de l'ouvrage, non sans avoir fait graver sur une pierre de réincarnation qu'il fit sceller dans le mur et qu'on peut toujours voir au deuxième étage.

Cette partie centrale se composait de grandes salles de cérémonies, de près de trente-cinq chapelles, richement sculptées et décorées, de quatre cellules de méditation et des mausolées de sept Dalaï-Lamas ; quelques-uns atteignaient dix mètres de haut et étaient recouverts d'or et de pierres précieuses.

L'aile ouest date d'une époque ultérieure. Elle abritait une communauté de 175 moines, tandis que dans l'aile est se trouvaient les bureaux du gouvernement, une école pour les moines fonctionnaires et les salles de réunion de l'Assemblée nationale, la maison du Parlement du Tibet. Mes appartements étaient situés au-dessus des bureaux, dominant la ville de 120 mètres. Il y avait là quatre chambres et celle que j'utilisais le plus souvent couvrait au moins 160 mètres carrés. Ses murs étaient entièrement décorés de peintures décrivant la vie du cinquième Dalaï-Lama et et si détaillés que chaque portrait miniature ne dépassait pas trois centimètres de haut. Quand j'étais lassé de mes lectures, je me tournais vers cette grande fresque qui m'entourait pour poursuivre l'histoire qu'elle évoquait.

Mis à part les bureaux, les temples, les écoles et les habitations, le Potala servait aussi d'énorme entrepôt. Des pièces entières abritaient d'innombrables rouleaux inestimables, certains vieux d'un millier d'années. Des chambres fortes regorgeaient d'insignes en or des premiers rois du Tibet, eux aussi datant d'un millénaire, des cadeaux somptueux reçus des empereurs mongols et chinois ainsi que des trésors des Dalaï-Lamas qui succédaient aux rois. On y entreposait aussi les armes et les armures issues de toutes les périodes historiques du pays. Dans les bibliothèques s'accumulaient tous les documents de la culture tibétaine et de sa religion ; en tout sept mille énormes volumes, dont certains, dit-on, pesaient jusqu'à quarante kilos. D'autres étaient écrits sur des feuilles de palmier importées de l'Inde il y a des siècles. Deux mille volumes enluminés, des textes sacrés étaient écrits avec de l'encre faite à partir de poudre d'or, d'argent, de fer, de cuivre ou de poussière de coquillages, de turquoise, de corail, chaque ligne étant écrite avec une encre différente.

Sous le bâtiment se trouvait un dédale d'entrepôts et de caves contenant les réserves gouvernementales de beurre, de thé et de tissus qui servaient à approvisionner les monastères, l'armée et les officiels de l'administration gouvernementale. La prison pour les malfaiteurs notoires – un peu comparable à la tour de Londres – était située à l'extrémité orientale ; aux quatre coins des bâtiments s'élevaient des tours de défense où l'armée tibétaine montait la garde. »

… Et de tout cela, on visite si peu de choses !

Le Norbulinga

Le Dalaï-Lama - Mon pays et mon peuple, pp. 44-45.

> « Le Norbulinga était davantage un foyer. En fait, il s'agissait d'une suite de petits palais et de chapelles construits à l'intérieur d'une grande enceinte au milieu de merveilleux jardins. « Norbulinga » signifie « le parc du joyau ». C'est le septième Dalaï-Lama qui l'avait fait construire au XVIIIᵉ siècle. Depuis lors, chaque Dalaï-Lama y bâtit sa propre résidence. Ce que je fis aussi. Le fondateur avait choisi un site particulièrement fertile : dans ses jardins, on avait réussi à faire pousser un radis pesant 10 kilos et des choux si volumineux qu'on n'en faisait pas le tour avec les bras. Y prospéraient également des peupliers, des saules, des genévriers et toutes sortes de fleurs et d'arbres fruitiers : pommiers, poiriers, pêchers, noyers et abricotiers. Verger que je complétai en y introduisant le prunier et le cerisier.
>
> Là, entre mes leçons, je pouvais gambader et m'ébattre parmi les fleurs et les arbres, les paons et un cerf musqué apprivoisé. Je jouais aussi sur les bords du lac, risquant à deux reprises de m'y noyer. Régulièrement je nourrissais mes poissons, qui apparaissaient à la surface avec avidité en entendant mes pas. Quand j'y pense, je me demande parfois... si mes poissons du Norbulinga furent imprudents au point de faire surface en entendant les bottes des premiers soldats chinois ! Si oui, ils ont sans doute été mangés. »

Un jour, dans la cour d'un des palais du Norbulinga, j'aperçois par terre, dépassant de sous un grand rideau, quelques doigts effilés. Je soulève la tenture et c'est le choc : un amoncellement de statues en morceaux m'apparaît, aplaties, mutilées (photo 63) ; une multitude de divinités devenues un tas de cuivre, de bronze avec quelques traces d'or, de polychromie. Elles proviennent de Drépung, de Séra et sont religieusement entreposées ici. Il faudra bien des années pour les restaurer !

Ganden, patrimoine de l'humanité

Une fois, discutant avec un groupe d'Américains à Lhassa, je leur demande ce qu'ils ont visité :

– Le Potala, le Norbulinga et puis tous les monastères : Drepung, Séra.

– Et Ganden ?

– Oh ! non. Ce n'est pas la peine, il n'y a que des ruines.

Impressionnant.

Aujourd'hui, pour atteindre ces ruines une très mauvaise piste serpente à flanc de colline.

Ganden ! On croirait que tout a été bombardé (Photos 61, 62). Mais ici comme ailleurs la méthode était plus simple et plus efficace puisque ne manquant jamais son but : la cité monastique fut entièrement détruite en 1966-1967 par des villageois et des prisonniers de Lhassa, à coups de pelles et de pioches. Les innombrables livres ont été brûlés, les statues éventrées, les trésors emportés à Pékin.

En 1966, sur les 5 000 moines que comptait le monastère, il ne restait déjà plus que les vieux. Après la prise de Lhassa en 1959 les autres avaient dû quitter l'habit pour travailler. Enfin les moines restants ! 1 500 d'entre eux s'étaient réfugiés en Inde à la suite des deux grands abbés du monastère, Ganden TiTii Pa Rimpoché, considéré comme le lama le plus érudit du Tibet avec Ling Rimpoché, l'un des plus fameux professeurs du Dalaï-Lama. Tous deux ont participé activement à « Sa » fuite en Inde, entraînant avec eux un bon tiers des moines de Ganden.

La destruction de Ganden est donc une représaille. Mais Ganden a aussi été détruit pour l'exemple : c'était le plus illustre des monastères du Tibet, construit en 1409 par Tsongkapa le Réformateur, fondateur de la secte Gelukpa, plus connue sous le nom de « Secte des bonnets jaunes » et dont sont issues les lignées des Dalaï et Panchen-Lama.

Étrange cette visite des ruines de Ganden, en compagnie du professeur de Tupten, que nous avions retrouvé à Lhassa.

Il pointe le doigt, me dit :

— C'est là que j'habitais. Au 3e étage.

Le vieux professeur — il a aujourd'hui 63 ans —, d'un regard circulaire embrasse tout « son » monastère et poursuit :

— J'ai passé dix-neuf ans de ma vie ici. Nous étions 5 000 moines.

Étonnante la grande sérénité avec laquelle il parcourt toutes ces ruines, m'expliquant ses études, ravivant ses souvenirs, retrouvant les passages autrefois si souvent empruntés. Aucune animosité dans le regard, aucune acrimonie dans la voix, même lorsqu'il me parle de son compagnon de chambre qui a passé vingt-et-un ans en prison, dont neuf ans dans une cellule si petite qu'il ne pouvait « ni s'allonger complètement, ni se tenir debout ».

— Demain, venez avec moi au monastère de Drepung. Je vous montrerai quelque chose d'unique.

Les cités monastiques de Drepung et de Sera

Il y a à Drepung, entreposée sur de solides étagères, une collection de livres dont les pages sont serrées entre des planches de bois précieux épaisses de deux doigts, avec sur la tranche une plaquette d'ivoire toute sculptée. Les différents chapitres de ces livres sont ornés de petits tableaux, de véritables miniatures. Mais ce qui est remarquable, c'est le texte. Sur un papier épais préalablement noirci, chaque lettre a été calligraphiée à la poudre d'or ! Chaque page est écrite, recto-verso, avec 350 grammes d'or. Chaque livre contient 42 kilos d'or. Cette collection du Kanjiur — la bible des bouddhistes — compte 114 livres, ce qui représente 4 788 kilos d'or. Presque cinq tonnes !...

— En ce temps-là, me dit Tsiring émerveillé, nous étions aidés par les dieux !

La Chine a rendu ces livres précieux en juillet 1985, m'explique le moine qui surveille cette chapelle, à l'occasion des vingt ans de la « libération de la Région autonome du Tibet ». Pour cela, ils ont fait sortir de prison d'anciens chefs de monastère et les ont envoyés à Pékin. Ces lamas ont dû choisir, parmi l'énorme quantité d'objets profanes et sacrés que détient la Chine, de quoi remplir trente camions.

— Ce qui n'est rien, conclut le professeur de Tupten.

— Mais d'où venaient tous ces trésors ?

— Ce sont les dons accumulés au cours des âges. Ces monastères étaient de véritables cavernes d'Ali-Baba.

— Mais comment vivait-on dans ces vastes cités ? Quelle était l'organisation, la gestion d'un monastère comme Drepung ou Séra qui comptaient tant de moines ?

— Il est vrai que c'est très simple et très compliqué. Lorsque, en 1409, Tsongkapa fit construire le monastère de Ganden, sa réputation à travers tout le Tibet était devenue telle que de plus en plus de jeunes furent envoyés par leur famille pour être instruits par ce grand maître. Devant cette affluence, Tsongkapa ordonna à plusieurs de ses disciples d'ouvrir des écoles à des endroits qu'il leur indiqua. Et ce fut la création de Drepung en 1416, puis de Séra en 1419 dans la vallée de Lhassa et de bien d'autres monastères dans les différentes provinces du Tibet. A l'origine, chaque école comprenait une salle de prières avec, autour, les habitations. Puis, au cours des générations, d'autres écoles vinrent se greffer près des premières, les salles de prières s'agrandirent, tant et si bien qu'en 1959 Drepung comptait huit écoles qui regroupaient 9 500 moines (photo 65), Séra six écoles avec 9 225 moines.

— Et aujourd'hui ?

— Le gouvernement limite l'entrée dans ces deux monastères à 450 et 300 moines.

Et pendant que nous parcourons cette véritable ville, pénétrant dans les grandes salles de prière, montant et descendant les innombrables escaliers, interrogeant les moines que nous rencontrons, le professeur de Tupten me fait revivre ces imposantes cités aujourd'hui délaissées.

— Chaque école est entièrement autonome sauf pour certaines fêtes communes dont les dates sont indiquées dans notre calendrier. Alors 6 à 7 000 moines se rassemblent dans l'immense salle de réunion pour prier ensemble pendant que les autres s'activent dans la cuisine collective. Gargantua lui-même n'aurait pas imaginé des chaudrons plus grands que des baignoires, des louches en cuivre grandes comme des seaux, des théières aux becs proéminents pouvant servir cinquante personnes... Car ces jours-là le monastère nourrit les moines.

— Et les autres jours ?

— Le reste de l'année chacun se débrouille.

— C'est-à-dire ?

— Chacun subvient à ses besoins. Ce n'est pas le monastère mais les familles qui nourrissent leurs moines. Une fois par an, me raconte le professeur de Tupten, ma famille m'apportait la nourriture pour toute l'année. Avec d'autres familles du village, ils formaient une caravane. Ils devaient marcher plusieurs mois pour arriver à Ganden.

— Qui s'occupe des jeunes ?

— Un enfant qui entre dans un monastère est confié à la fois au chef de l'école monastique et à un moine originaire de sa famille ou de son village. Ce moine hébergera cinq ou six moinillons, gérant leur nourriture, leur pécule et leur apprenant les gestes de la vie courante : aller chercher l'eau, le combustible, cuisiner, entretenir les vêtements, la maison, etc.

— A qui appartient l'habitation ?

— Chaque moine est propriétaire de son logement : une ou deux pièces selon la richesse de sa famille.

— Et l'école ?

— Pour étudier, les jeunes se rassemblent à une vingtaine sous la direction d'un moine professeur souvent fort sévère. Au fur et à mesure que les études deviennent plus difficiles, les groupes se réduisent : quinze, dix puis trois ou deux jeunes. Alors vient l'époque des examens. Un enfant intelligent et travailleur peut atteindre un très haut niveau intellectuel et une position hiérarchique très importante quelle que soit la couche sociale de laquelle il est issu.

Tout en devisant, nous sommes arrivés sur un des toits-terrasses de la cité monastique de Séra. A nos pieds, toute la plaine de Lhassa et au fond le Potala et les toitures d'or du Djokang.

Le coeur du Tibet

Le Djokang, c'est le centre de Lhassa, le cœur même du Tibet. Le Djokang, c'est ce complexe de salles et de chapelles où se réunissent au Nouvel An et aux fêtes du Monlam qui lui font suite tous les moines de toutes les écoles monastiques de la vallée de Lhassa y compris les deux écoles de Ganden (photos 72 et 70, 71.)

Comme pour tous les endroits sacrés les Tibétains font le tour du Djokang par la gauche, dans le sens où tourne le monde. Il y a donc une ruelle qui ceinture le Djokang : le Parkor. Le côté droit du Parkor longe le mur du Djokang ; le gauche, des maisons de deux étages avec une boutique au rez-de-chaussée. Des marchands à la sauvette, des mendiants, des moines ou des pèlerins en prière encombrent l'étroite chaussée (photos 26, 28). Au milieu de tout cela la foule des pèlerins déambule lentement, marmonnant des prières et écarquillant les yeux. Au-delà du Parkor un dédale de ruelles adjacentes donnent sur le marché à la viande où sont posés par terre des quartiers entiers de yack séché, des moutons séchés, de la viande sanguinolente. Fait suite le marché au beurre. Des mottes de beurre de 20 ou 30 kilos, enveloppées dans des peaux de yack, sont arrivées là après un long cheminement à travers les hautes terres ventées.

A l'intersection des deux marchés les dentistes opèrent en plein air avec leur roulette à pédale. Ils exposent outils et dentiers et travaillent devant un cercle de curieux.

En poursuivant, les badauds arrivent sur une petite place. C'est le marché aux fruits et légumes, biscuits, œufs, yaourts. Quelques marchands chinois proposent aussi bonbons, graines de tournesol, chaussures moulées en plastique, montres à quartz. Des artisans exposent des barattes pour le thé, des tables basses toutes décorées, des coussins. L'indescriptible bric-à-brac de tout marché oriental. Ah ! j'oubliais les deux éventaires des antiquaires. Mais le vrai marché des antiquités se passe sous le manteau. Les Tibétains s'interpellent et se montrent qui une statuette, qui une bague ou encore une ceinture, un couteau, un éperon, un briquet. Ils cachent l'objet dans leur ample « tchuba », ce manteau de peau qui les habille de la tête aux pieds (photo 23). Ils le tiennent dans la main recouverte par la manche interminable de la tchuba.

Ces manches très longues remplacent efficacement les gants indispensables en hiver et forment un fourreau qui recouvre l'outil et la main qui le tient.

Revenons sur le Parkor où les échoppes se succèdent : tissus, cahiers, ampoules électriques, bols à thé, tapis, radio-cassettes et cassettes de musique occidentale alternent avec les marchands de livres de prières et d'objets religieux. Les derniers marchands du Parkor vendent des bâtonnets d'encens. Alors le Parkor débouche sur la grande place, devant la porte d'entrée principale du Djokang.

Tsiring, Tupten et Dorjee, tout comme moi, adorent l'atmosphère de cette place où le bruit de la foule n'est plus couvert par celui des marchands.

Deux messieurs très sérieux, assis en tailleur, exposent la photo d'un *shorten* en ruine et quêtent pour sa reconstruction ; des enfants en haillons lèvent le pouce pour demander à manger ; un grand gaillard habillé en moine tourne à longueur de journée un imposant moulin à prières pour récolter quelqu'argent ; un homme méritant verse du thé dans les gamelles des mendiants de la place ; le baladin chinois compte sa recette. Il mange une ampoule électrique toutes les heures et s'entortille le cou de fil de fer.

Et, à toute heure du jour et de la nuit, des dizaines et des dizaines de personnes se prosternent indéfiniment devant le Djokang. Hommes, femmes, enfants. Un jour de l'année prochaine les pèlerins que j'ai croisés sur la piste arriveront ici...

Ces croyants qui se prosternent à longueur de temps, ces pèlerins qui défilent devant moi, je les vois habillés de guenilles, de haillons, de peaux de toutes sortes.

Mais en les regardant mieux, je perçois la diversité des chapeaux, le style des manteaux, la variété des peaux et tissus dans lesquels ils sont taillés et plus encore l'originalité de la forme des bottes et du dessin des tiges (photo 27).

Certes, tous ces détails indiquent leur région d'origine, mais aussi une indéniable recherche de coquetterie. Ces rudes Tibétains aiment les tenues élégantes qu'ils portent fièrement, comme la plaisanterie qui fuse à tout moment.

C'est une de leurs richesses.

Leur philosophie en est une autre. Écoutez.

Un jour que j'arrivai en jeep en haut d'un col enneigé, j'aperçois un enfant tirant un yack chargé de ses affaires. A l'horizon. pas une maison, pas un village.

— Où habites-tu ?

Et l'enfant, me montrant les paysages infinis du Tibet, me répond simplement :

— C'est chez moi ! Une telle sagesse, l'homme se doit de la préserver.

Alors ce sera la victoire de l'esprit sur le sabre.

La lumière du Tibet

Il a neigé cette nuit sur Lhassa.

Ce matin, la foule attend devant le Djokang.

La porte grince. La foule s'engouffre, à qui courra le plus vite pour arriver le premier déposer son offrande et se recueillir devant le dieu de son choix.

Dorjee quitte la foule qui se prosterne dans la poussière, prend l'escalier de droite et monte lentement. Le brouhaha des pèlerins s'estompe, l'odeur des nomades s'efface. Dorjee monte encore un étage et débouche sur la terrasse supérieure du Djokang.

Pour la dernière fois avant de regagner son petit monastère du Népal, Dorjee vient prier dans ce site unique, en plein cœur de la Cité si longtemps interdite.

D'un regard il embrasse le paysage (photo 51).

Ce matin l'air est si pur que l'on croit tout toucher de la main. Les montagnes enneigées, si lointaines, deviennent si proches... Le Potala éclairé par le soleil levant, resplendissant, est net à le toucher. Et ici, l'or des toitures des temples, des bannières de prières, les couleurs des drapeaux religieux, le tintement des clochettes...

La neige habille, l'or brille, le soleil resplendit.

A Lhassa, par un matin pareil, est-on encore sur terre ?

« Les Roitelets », septembre 1987

L'HARMATTAN

16, rue des Écoles, 75005 PARIS
Tél. : 43.26.04.52

**AFRIQUE - OCÉAN INDIEN
ANTILLES - MONDE ARABE - ASIE
ESPAGNE - PORTUGAL
AMÉRIQUE LATINE**

21, rue des Écoles, 75005 PARIS - 43.26.04.52

**LITTÉRATURE FRANÇAISE
ARTS - POÉSIE - THÉATRE
HISTOIRE
RÉGIONALISME - POLITIQUE
SOCIOLOGIE**

**AMÉRIQUE DU NORD
EUROPE CENTRALE ET OCCIDENTALE
URSS**

Métro : Maubert-Mutualité et Cardinal Lemoine
Heures d'ouverture : du lundi au samedi : 10 h - 12 h 30 et 13 h 30 - 19 h